Distribution:

Pour le Canada:

Les Éditions Flammarion/Socadis
375, avenue Laurier Ouest
Montréal (Québec)
H2V 2K3
Tél.: (514) 277-8807 ou (514) 331-3300

Pour la Belgique:

Vander, s. a.
321, Avenue des Volontaires
B-1150 Bruxelles, Belgique
Tél.: (32-02) 762-9804

Pour la France:

Dilisco
122, rue Marcel Hartmann
94200 Ivry-sur-Seine
France
Tél.: (1) 49 59 50 50

Diffusion Transat s.a.
Route des Jeunes, 4ter
Case postale 1210
CH-1211 Genève 26
Tél.: (022) 342-7740

Secrets de la Vente Professionnelle

Manuel de travail
pour les professionnels de la vente

Données de catalogage avant publication (Canada)

Leboeuf, Jean-Guy, 1931-

Secrets de la vente professionnelle: manuel de travail pour les professionnels de la vente

Comprend des références bibliographiques

ISBN 2-89225-327-6

I. Titre.

HF5438.25.L46 1997 658.8'1 C97-941119-X

Dépôts légaux: 4e trimestre 1997
Bibliothèque nationale du Québec
Bibliothèque nationale du Canada
Bibliothèque nationale de France

Conception graphique de la couverture:
SERGE HUDON

Photocomposition et mise en pages:
COMPOSITION MONIKA, QUÉBEC

ISBN: 2-89225-327-6

Jean-Guy Leboeuf

Secrets de la Vente Professionnelle

Manuel de travail pour les professionnels de la vente

Les éditions Un monde différent ltée
3925, boulevard Grande-Allée
Saint-Hubert (Québec)
Canada J4T 2V8

Ce livre est dédié amicalement à toutes les personnes qui font de la vente une profession noble, et spécialement à Marie-Andrée Grand'Maison qui, toute sa vie, s'est fait un point d'honneur de vendre avec conviction les produits ou les services qui lui tiennent à cœur.

Table des matières

Introduction

Il y a une vingtaine d'années, vers midi, à une station de radio anglophone de Montréal, un animateur posait une question à ses auditeurs. La première personne à donner la bonne réponse recevrait un prix en argent de plusieurs milliers de dollars. La question était la suivante: «Qui est l'inventeur du bateau à vapeur?»

En fait, la plupart des participants répondaient «Robert Fulton», et c'est seulement après plusieurs semaines qu'une personne donna la bonne réponse. Il s'agissait de John Fitch. Je me suis alors empressé de fouiller dans le dictionnaire Webster pour découvrir que John Fitch avait inventé le bateau à vapeur, mais que Robert Fulton, un mécanicien américain, avait eu, lui, l'audace d'en construire un en persuadant tour à tour des financiers d'investir des fonds, des journalistes d'en parler et, après la mise à l'eau du bateau, de convaincre des passagers d'y monter en toute sécurité pour effectuer la traversée New York-Albany sur la rivière Hudson. Par ailleurs, ce bateau portait le nom de famille de ma mère: il a été baptisé le «Clermont».

Vous vous demandez peut-être où je veux en venir avec ce préambule? Bien sûr, John Fitch était un ingénieur et un inventeur très compétent, mais il ne possédait aucune aptitude pour la vente d'idées, de produits ou de services. Pour sa part, Robert Fulton était non seulement un ingénieur et un inventeur, mais il était doté de cet instinct qui porte à vouloir convaincre les autres d'une idée qui nous tient à cœur et à laquelle nous croyons fermement. Cette histoire est en quelque sorte ma façon de vous amener à percevoir l'importance de la vente.

En somme, ce livre s'adresse à toute personne intéressée à la vente, quel que soit le produit à vendre.

Pourquoi ai-je écrit ce livre?

En 1954, j'ai achevé mes cours à l'École des Hautes Études Commerciales et je suis devenu économiste au sein d'une grande entreprise. Après seulement quelques semaines de pratique, j'ai découvert que je détestais tout autant travailler avec des statistiques d'économistes que j'avais aimé mes études en économie. J'ai alors demandé à mon employeur de devenir représentant de commerce sur la route. Il m'a répondu que je ne connaissais pas la vente, que je ne l'avais guère étudiée, et que je ne pouvais donc pas être un expert de la vente.

Au cours des semaines suivantes, j'ai «vendu» l'idée à mes employeurs de m'assigner une région et de me laisser faire mes preuves. J'ai réussi cette «vente» et je suis devenu représentant de commerce pour faire connaître nos produits dans le domaine agricole: des engrais chimiques pour la culture et des mélanges de céréales bien dosés pour l'élevage des animaux et des volailles.

Pour accroître mes connaissances dans le domaine, j'ai commencé à lire de nombreux volumes sur la vente, comme par exemple ceux des auteurs Frank Bettger, Dale Carnegie, et Elmer Letterman. J'avais vu mon père en action à titre de vendeur d'idées, de produits et de services quand il était à son compte comme propriétaire de magasin général, et ensuite directeur d'une quincaillerie prospère. Que ce soit consciemment ou inconsciemment, j'avais reçu de lui des leçons qui m'ont aidé toute ma vie durant.

Quand mes confrères d'université ont appris que j'étais devenu représentant de commerce, ils se sont un peu moqués de moi en me laissant entendre qu'un représentant est souvent un beau parleur, et parfois même un menteur. Mais par mes actions j'ai contré leurs préjugés et je leur ai prouvé que, quelle que soit notre carrière dans la vie, nous sommes tous des représentants, des vendeurs d'idées, de produits ou de services. Et c'est important d'apprendre à vaincre la résistance au changement, de provoquer une ouverture d'esprit de façon à aider nos clients à résoudre leurs problèmes et à atteindre leurs objectifs.

Au cours des 30 dernières années, j'ai eu l'honneur et le plaisir de dispenser de la formation sur mesure en entreprise dans plus de 300 entreprises, ministères, associations et groupes de professionnels. Ces cours intensifs – variant d'une durée de 2 heures,

2 jours, 30 heures ou 45 heures selon le choix – avaient pour but de développer le savoir, le savoir-faire et le savoir-être dans des domaines qui touchaient de près ou de loin à la vente professionnelle: la communication verbale, la gestion de soi par objectifs, la formation de formateurs, le leadership, la motivation, le marketing personnel et professionnel, la créativité, et le changement.

Dans chaque cas, j'adaptais des connaissances déjà acquises et j'en découvrais de nouvelles.

J'ai beaucoup observé, étudié et expérimenté tout en communiquant le fruit de mes recherches à mon personnel. J'ai publié des idées sur la vente dans mes autres volumes et dans des centaines d'articles de journaux et de revues. Vous qui lisez ces lignes, vous les connaissez probablement toutes et vous les avez vraisemblablement toutes pratiquées un jour ou l'autre dans votre carrière.

Cependant, vous savez fort bien que notre subconscient a besoin d'être «remis à neuf», de se renouveler régulièrement. C'est bon de retourner aux sources. Voilà pourquoi j'ai cru bon, à la demande de plusieurs personnes et de plusieurs organisations, de rassembler dans un seul volume tous les secrets que j'ai retenus grâce à mes nombreuses expériences de formateur.

Comment devez-vous lire ce livre? Ayez toujours à portée de la main un cahier ou un calepin et deux crayons de couleurs différentes et, au fur et à mesure de votre lecture, soulignez des mots, inscrivez des notes en marge dans le volume même, et surtout écrivez toutes les idées qui vous viennent à l'esprit dans votre cahier ou votre calepin pour préciser vos objectifs et définir vos rêves. Plus tard, quand vous ferez une évaluation de ces idées, vous éliminerez celles qui sont peu appropriées à vos projets ou à vos problèmes, et vous utiliserez les autres à votre rythme, selon votre style.

Que vous soyez ingénieur, avocat, dentiste, comptable agréé, agent immobilier ou agent d'assurance, enseignante, infirmière, enfant ou parent, vous êtes capable d'innover, de créer et de présenter des idées nouvelles. Et comme le dit si bien mon condisciple d'université, Jean-Marc Chaput: «Vivre, c'est vendre». Ne vous contentez donc pas seulement de lire, mais cherchez aussi à mettre en pratique régulièrement, méthodiquement et consciemment ce que vous découvrez.

De plus, gardez près de vous un dictionnaire, et pour chaque mot qui vous semble nouveau ou dont vous ne saisissez pas complètement la signification, fouillez dans votre dictionnaire; vous ferez ainsi une sorte d'incursion dans la langue française.

Ayez l'audace de vous fixer des buts élevés, et ayez le cran de prendre des moyens réalistes pour y arriver.

Plus les professionnels de la vente abonderont dans une ville, une province, un pays ou un État, plus les affaires seront prospères, et plus nous pourrons compter sur des personnes aptes à se créer un emploi pour implanter des idées, fabriquer des produits ou offrir des services. Par conséquent, la créativité sera grandissante, et non seulement le niveau de vie ira-t-il en croissant, mais encore et surtout, le style et la qualité de vie s'amélioreront.

Et répétez-vous notamment que de vous consacrer à bien servir vos clients pour satisfaire leurs besoins et leurs désirs selon leurs moyens, vous amène à poser des actes professionnels, à vous conduire en professionnel et à mener une vie professionnelle.

Vous prendrez l'habitude de vous maintenir en bonne santé physique, intellectuelle, affective et spirituelle. Vous irez toujours de l'avant tout en constatant que beaucoup de gens, contrairement à vous, décident de s'arrêter. Avec le temps, votre cahier ou votre calepin se remplira et vous disposerez par le fait même de vos propres secrets de la vente professionnelle.

Un dernier conseil: des entreprises et des associations solliciteront vos services comme conférencier pour que vous partagiez le fruit de vos découvertes. Alors ne refusez pas. Acceptez, prenez le temps de vous préparer, surmontez le trac, et allez-y. Je suis passé par là. J'ai prononcé des milliers de conférences devant plus de 500 000 personnes, en français ou en anglais, au Canada, aux États-Unis et en Europe, et j'éprouve toujours autant de joie de voir les gens heureux à la fin d'une de mes conférences qu'au moment où je regarde les étoiles par un soir de pleine lune.

Avant-propos

Les personnes qui font carrière dans la vente posent des actes professionnels. Selon monsieur Camille Laurin, ex-ministre de l'Éducation:

«Un acte professionnel, c'est une tâche définie qui procure un service essentiel à la société, exigeant une formation spécialisée et un perfectionnement continu, et s'effectue à l'intérieur d'une grande marge de responsabilité et d'autonomie, dans le respect des normes édictées par sa pratique et d'un code d'éthique, normalement formulés par une association professionnelle; service indispensable qui requiert la compétence dans un savoir ou un savoir-faire spécialisé, d'une part, et comporte un engagement personnel et une responsabilité sociale, d'autre part.»

LAURIN, C. (1981).

LEGENDRE, R.,
Dictionnaire actuel de l'éducation,
Larousse, 1988, page 6.

Pour éviter d'alourdir le texte, nous nous conformons, dans le présent volume, à la règle qui permet d'utiliser le masculin avec une valeur neutre lorsqu'on parle de façon générale. Selon le Dictionnaire du français Plus, *publié en 1987 par la librairie Hachette, «l'andragogie est l'ensemble des moyens pédagogiques visant le développement de l'adulte dans le sens de ses acquis professionnels». Un andragogue est donc un spécialiste de l'andragogie.*

Je crois en la noblesse de la vente

Un professionnel de la vente n'est pas ce qu'on appelle parfois un «vendeur à pression». C'est un conseiller qui offre des services en aidant des gens à régler des questions d'achat et de vente. Et sa profession est noble pour neuf raisons:

1- Le professionnel de la vente aide des personnes à prendre la décision d'acheter. Et ainsi, ces clients commencent à épargner, à se constituer un capital, à rechercher la sécurité matérielle. De plus, ces familles amènent tous leurs membres à cultiver une plus grande sociabilité.

2- Il les encourage à faire preuve d'initiative, à prendre des responsabilités, à assumer des hypothèques, à travailler en équipe, à effectuer des investissements rentables.

3- Il amène ses clients à négocier avec patience en s'adaptant à différents partenaires de la transaction dans un marché libre, où la loi de l'offre et de la demande s'applique presque parfaitement.

4- Il incite ses clients à faire preuve de réalisme, à transiger avec des personnes de caractère qui veulent à la fois gagner leur vie en amassant des biens grâce à des objectifs concrets bien ancrés dans la vie matérielle et mériter la confiance des gens en vivant avec franchise, droiture, équité, honnêteté et intégrité.

5- Il stimule les acheteurs et les professionnels de la vente à affronter la vie avec confiance, avec bravoure, avec un mélange d'audace et de prudence, de courage et de volonté en vue d'aller toujours plus loin, plus haut, en les incitant à améliorer leur vie pour la rendre plus utile, plus rentable, en vue d'atteindre le meilleur contentement possible.

6- Il exhorte ses clients à vivre une grande tolérance, à respecter les autres, à accepter les différences d'âge, de sexe, d'occupation, de scolarité, de religion, de culture.

7- Il invite ses clients à accepter leur sensibilité, leur empathie, leur créativité, à tenir compte de l'importance de la famille, des voisins, des enfants, de la culture, de la civilisation. Il pousse les acheteurs à faire preuve de créativité, non seulement dans la transaction mais également dans toutes les façons de rentabiliser leurs biens, soit pour un meilleur revenu ou pour un meilleur profit de capital.

8- Il conduit ses clients à atteindre consciemment ou inconsciemment une plus grande maturité en faisant preuve de stabilité dans le remboursement de leur emprunt, d'une grande persévérance dans la possession de leurs titres et de beaucoup de ténacité pour terminer ce qu'ils ont commencé.

9- Finalement, il entraîne les acheteurs à envisager l'avenir avec enthousiasme et optimisme, à vivre avec la joie et la vision de quelqu'un qui bâtit sa destinée, la fierté de quelqu'un qui possède quelque chose, et qui fait respecter ses droits.

Je crois en la noblesse de la vente!
Noblesse oblige!

Qui peut devenir professionnel de la vente?

Choisir une carrière est l'une des décisions les plus importantes qu'une personne puisse prendre!

Votre employeur vous fournira un espace de bureau et des outils de vente et de marketing. De plus, il supervisera vos activités, révisera vos transactions et, en retour de son support, vous partagerez vos revenus avec lui.

Vous toucherez une commission mais puisque vous ambitionnez d'être un professionnel, vous considérerez vos commissions au même titre que des honoraires gagnés par un entrepreneur indépendant, un travailleur autonome ou un professionnel. Vous réussirez si vous produisez des résultats tangibles, mesurables et concrets.

Vous devez faire preuve de cinq habiletés:

1- Vous devez être capable de vous motiver vous-même. La vraie motivation, c'est l'art de se maintenir en action vers des buts que l'on a choisis. Elle commence par la capacité de se fixer des buts: vous réussirez par vos propres efforts, quel que soit le pourcentage obtenu aux examens lors de votre cours et quelle que soit l'importance de l'employeur avec lequel vous travaillerez: vous devez posséder le désir de réussir par vous-même. Vous devez vous discipliner vous-même et vous prouver que vous pouvez travailler avec très peu de supervision quotidienne.

2- Vous devez aimer la vie et les êtres humains. Vous devez pouvoir vous adapter à des personnes de tous genres et être capable de les rencontrer avec patience et tolérance. Vous devez pratiquer l'écoute active et pouvoir poser beaucoup de questions en vue de connaître les besoins et les moyens de vos clients potentiels et de vos clients. Vous deviendrez expert dans l'art de poser des questions et d'écouter les réponses.

3- Vous devez d'une part bien connaître votre produit, non seulement le produit et ses caractéristiques, sa solidité, sa qualité, mais de comprendre aussi les techniques permettant de déterminer la valeur d'un bien, les modes de financement, et les implications légales des transactions. Par surcroît, vous devez aimer travailler non seulement avec efficacité mais aussi avec harmonie.

4- Vous devez aimer la négociation. Vous devez être en mesure de négocier avec stabilité, avec maturité, en comprenant que l'achat ou la vente d'une propriété, par exemple, est probablement l'une des plus importantes transactions qu'une personne ou qu'une famille fera dans toute sa vie.

5- Vous devez aimer le style de vie d'un professionnel de la vente: il travaille à créer et à trouver des solutions aux problèmes des personnes qui veulent acheter. Vous devez être capable de travailler en équipe et prouver que vous connaissez bien la région assignée où vous vous ferez une clientèle.

Bien entendu, ces cinq habiletés sont conditionnées et intimement liées à l'activité économique de tout le pays et de la région où vous demeurez. Mais d'autre part, la qualité de votre travail, de même que la valeur de votre employeur font partie des facteurs importants pour vous permettre de bien gagner votre vie.

Combien gagnerez-vous? Imaginons une équation où nous aurions H multiplié par M, multiplié par V égale R (H x M x V = R). Le H, c'est l'hérédité et l'ensemble des talents et des aptitudes que nous avons reçus de nos parents sur le plan physique, intellectuel et affectif. Le M correspond au milieu où nous avons grandi, où nous avons acquis des connaissances, des attitudes et de l'expérience, et le milieu où nous vivons actuellement avec ses possibilités, ses avantages et ses inconvénients. Le V, c'est la volonté, la capacité de choisir, de se discipliner, de bien gérer sa vie et son travail, et de bien mettre à profit les aptitudes innées par hérédité, des attitudes reçues du milieu pour pouvoir, par nos propres habitudes, obtenir des résultats importants. Le R représente les résultats.

J'ai connu des professionnels de la vente de tout âge qui, preuves écrites à l'appui, ont gagné dès la première année un revenu d'environ 25 000$ brut, d'autres 50 000$ et d'autres 100 000$.

Et vous? combien ferez-vous? Vos résultats seront déterminés pour une bonne part par vos talents personnels, et, dans une large mesure, grâce à l'ensemble de vos connaissances et de votre expérience. Et finalement, les facteurs de loin les plus essentiels seront votre volonté et votre capacité de vous motiver régulièrement, et de vous maintenir encore et toujours en action, vers des buts que vous aurez choisis...

En action!

P.-D.G. de T.P.E.

Lorsque vous devenez professionnel de la vente, vous êtes travailleur autonome, vous travaillez à votre compte. C'est comme si vous aviez fondé une T.P.E., c'est-à-dire, une très petite entreprise dont vous êtes le président-directeur général ou la présidente-directrice générale. Vous êtes gestionnaire de votre carrière.

Quelles sont les cinq principales fonctions d'un gestionnaire?

1- Planifier: informez-vous auprès de votre directeur. Demandez-lui comment il a fait ses débuts dans sa carrière. Rencontrez d'autres professionnels de la vente dans votre bureau, ou ici et là en pleine action, et demandez-leur comment ils ont débuté. Ne cherchez pas à argumenter, ne contredisez pas, apprenez tout simplement, et votre cerveau choisira ce qui est bon pour vous. Planifiez l'ouverture d'un compte en banque spécial, avant de commencer votre profession, où vous déposerez un montant d'argent. Vous savez déjà quel est votre budget. Fixez-vous l'objectif d'avoir en banque assez d'argent pour vivre sans problème pendant 15 semaines. Vous pourrez ainsi vous consacrer totalement à la vente, votre carrière, en ne négligeant pas toutefois votre santé et votre vie familiale. Si votre budget est de 500$ par semaine, déposez 7 500$ dans ce compte en banque particulier. S'il est de 1 000$ par semaine cependant, vous devrez y déposer 15 000$. Et voilà, c'est votre investissement initial! C'est beaucoup moins que si vous mettiez sur pied une épicerie ou un salon de coiffure! Vous démarrez avec peu de capital.

2- Organiser: une formule familière dit: «Si on ne s'organise pas, on se fait organiser!» Organisez votre travail à la maison le plus tôt possible. Négociez le temps et l'espace où vous pourrez étudier, même une fois devenu profesionnel de la vente pour compléter votre formation en lisant, en étudiant, en vous améliorant, en préparant vos rencontres, en faisant régulièrement des devoirs pour être à l'avant-garde et toujours faire partie du groupe de 20% des professionnels de la vente qui font 80% des transactions.

3- Déléguer: utilisez votre temps avec efficacité: vous ne pourrez pas tout faire. Demandez aux gens de vous rendre service. Si vous vous lancez dans la vente, vous aimez le monde; si vous aimez le monde, vous êtes sensible; et si vous êtes sensible, vous avez peur de vous faire dire non, vous avez peur de déléguer et de demander des services à quelqu'un. Surmontez cette crainte. Acceptez que des gens vous disent non. Négociez les services en échangeant, vous aussi, des services que vous offrez à l'autre.

4- Motiver: motivez-vous vous-même régulièrement en vous maintenant en action vers vos objectifs. Motivez les autres en leur parlant avec joie, enthousiasme et fierté de votre nouvelle carrière. Les autres seront votre miroir. Si vous parlez de votre carrière comme si c'était un terrible fardeau, ils réagiront en vous suggérant d'abandonner cette carrière. Par contre, si vous leur parlez de votre nouvelle profession comme si c'était une grande étape dans votre vie, si vous leur manifestez l'enthousiasme et la conviction, ils partageront ces émotions et vous encourageront à continuer avec confiance et persévérance.

5- Contrôler: feriez-vous confiance à un pilote incapable de démontrer qu'il contrôle son aéronef? Alors, vous aussi, soyez aux commandes de votre vie. Contrôlez d'abord votre temps car c'est de cette étoffe que la vie est faite. Pour ce, utilisez un agenda, planifiez chaque journée, chaque semaine, chaque mois. Veillez ensuite à contrôler votre argent. La plupart des personnes dans la vente sont d'excellents professionnels de la vente et aussi de bons acheteurs, mais toutefois pas toujours avisés. Il ne faudrait pas développer cette tendance à trop dépenser. Visez de grands objectifs mais adoptez un petit budget; aux temps difficiles vous passerez au travers plus aisément et, si les temps sont favorables et les résultats tangibles, vous pourrez vous offrir un peu de luxe tout en investissant votre surplus, et en vous constituant vous-même un portefeuille de plus en plus intéressant. Et enfin, contrôlez votre santé. Prenez soin de votre hygiène. Alimentez-vous bien. Mangez plus de fruits et de légumes, moins de desserts sucrés et crémeux. Réduisez votre consommation de café, d'alcool, de boissons gazeuses, l'absorption de médicaments, de drogues, de cigarettes, et tous ces autres aliments peu nutritifs. Faites une promenade quotidienne de 20 à 30 minutes. Respirez bien. Faites un peu d'exercice, et dormez de bonnes nuits, d'un sommeil profond. Votre corps est votre principal véhicule, prenez-en soin, au moins autant que vous entretenez votre automobile. Un humoriste disait: «Si je savais que je vivrais longtemps, je prendrais soin de ma santé!»

Bon courage, P.-D.G. de T.P.E.!

Être professionnel : c'est l'essentiel !

Les professionnels de la vente qui réussissent le mieux sont vraiment considérés comme des professionnels. Quelles sont leurs caractéristiques ?

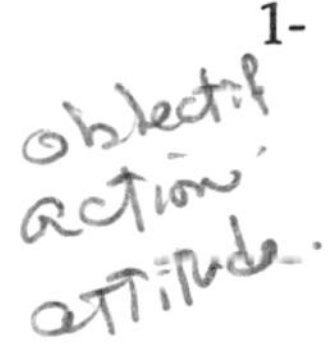

1- Les vrais professionnels ont des objectifs. Ils sont sociables envers leurs parents et amis tout en visant haut et loin. Ils continuent d'utiliser les outils de base, à entrer en relation avec plusieurs personnes par jour par téléphone ou en cognant à leurs portes. Ils cultivent des habitudes pour développer et utiliser leurs attitudes et leurs aptitudes.

2- Ils savent prendre des décisions, courir des risques raisonnables, faire preuve d'initiative, demander conseil et assumer des responsabilités avec un mélange d'audace et de prudence, de courage et de volonté.

3- Ils sont patients. Ils savent comprendre les gens, écouter, attendre, étudier, apprendre, tout en sachant se faire respecter.

4- Ils sont diplomates, tout en étant intègres. Ils savent dire oui comme ils savent dire non. Ils acceptent que le client puisse exprimer des besoins logiques et acheter pour des besoins émotifs. Ils ont du tact.

5- Ils ont confiance en leur potentiel, en leur carrière et en leur client. Ils embellissent l'image qu'ils ont d'eux-mêmes. Ils ont des limites et ils cherchent à se dépasser. Ils se visualisent comme gagnants et ils visualisent leurs clients comme gagnants.

6- Ils sont tolérants. Ils cherchent à mieux communiquer malgré les obstacles à une bonne communication. Ils acceptent les clients quelles que soient les différences de religion, d'âge, de sexe, d'éducation, d'option politique, etc.

7- Ils sont dotés de sensibilité et de créativité: ils sont polis, courtois, distingués. Ils sont attentifs à leur ponctualité, leur tenue vestimentaire, leur créativité. Ils connaissent l'importance des bonnes manières, de la propreté, du langage non-verbal, du sourire, de mémoriser les noms, de la poignée de mains.

8- Ils recherchent la compétence et l'excellence. Ils visent le savoir, le savoir-faire et le savoir-être. Ils travaillent fort, longtemps et efficacement. Ils se réservent du temps pour se recharger, physiquement, intellectuellement, émotivement et spirituellement. Ils ne vivent pas pour travailler, ils travaillent pour vivre.

9- Ils sont enthousiastes. Ils aiment la vie, leur profession, leurs clients. Ils savent que la vente, c'est une affaire de cœur (et de tête), de tripes (et de cellules), d'amour (et de raison). Leurs intérêts et leur intuition leur font réaliser calmement la beauté de leur rôle social: aider des gens à investir dans leur avenir, à trouver la concrétisation de leurs rêves, à créer de l'espace pour leurs enfants, à prendre soin d'un jardin, et à tirer parti de l'inflation.

***La vente, c'est plus qu'un travail,
c'est une joie! Une mission!
Une croisade!***

Un idéal

De temps à autre, les médias publient des nouvelles qui peuvent amener le consommateur à douter de la valeur sociale et économique des services rendus par le professionnel de la vente, et ce dernier en arrive même parfois à douter de l'utilité de sa profession.

Aussi doit-il se fixer un idéal – c'est-à-dire une façon de regarder sa carrière d'un point de vue plus noble. Les marins d'autrefois ne réussissaient-ils pas à traverser l'océan en se guidant sur l'étoile polaire? Le professionnel de la vente idéal se répète souvent qu'il est né sous une bonne étoile. Et, une bonne étoile est souvent représentée par cinq pointes.

La première pointe de l'étoile, c'est l'efficacité qui donne le goût de faire plus avec moins, de viser toujours plus haut, plus loin, plus fort, de se dépasser sans cesse pour réussir toujours de mieux en mieux.

Le professionnel de la vente vise l'autonomie, l'initiative, l'indépendance financière. Il en arrive à bien gagner sa vie, à se nourrir convenablement, à bien se loger, à bien se vêtir, à faire suffisamment d'exercice, à bien conserver le contrôle de sa vie en économisant son temps, en épargnant son argent, et en ménageant sa santé.

La deuxième pointe de l'étoile, c'est la sécurité. En toute chose et en tout temps, le professionnel de la vente crée intérieurement et extérieurement un climat d'assurance, de sécurité, de confiance, et de stabilité. Il regarde son passé non pour s'en préoccuper mais pour en tirer des leçons. Il prépare son avenir non pas avec inquiétude, anxiété et angoisse, mais avec la joie de relever le défi et de faire face à l'inconnu avec créativité. Il sait qu'il a réussi à surmonter les obstacles jusqu'à aujourd'hui, à résoudre des problèmes jusqu'à maintenant, à accepter des frustrations de toutes sortes jusqu'à l'instant présent, et il sait qu'il peut continuer à le faire. Il s'assure d'un espace vital adéquat et il respecte les autres pour leur accorder leur espace vital. Il crée un climat de sécurité envers sa clientèle, ses collègues de travail et son directeur.

La troisième pointe de sa bonne étoile, c'est la bonté. Le professionnel de la vente sait avoir de l'empathie, se mettre à la place de l'autre personne. Et, sans arrêter sa vie parce qu'un autre souffre, il peut quand même ralentir et chercher à comprendre, à rendre service, et surtout à faire rayonner envers les personnes qui l'entourent des pensées de croissance, des vibrations de réconfort, des énergies revitalisantes. Il cherche à donner et recevoir de l'affection avec maturité. Il accepte de faire partie d'une équipe. Il travaille à cultiver des contacts adultes et enrichissants. Il cherche à être RARE, c'est-à-dire *r*éaliste, *a*utonome, *r*esponsable, et *en*thousiaste! Il est capable d'appartenir à un groupe, et même à plusieurs groupes. Il peut aussi accorder de la considération à d'autres personnes et reconnaître que d'autres peuvent également grandir et jouer un rôle important. Il prend sa place, mais il accepte également que les autres prennent leur place. Il affirme son idée et il accepte aussi que les autres défendent leurs idées. Il travaille à son indépendance personnelle avec une interdépendance sociale.

La quatrième pointe de l'étoile, c'est la vérité. Il est capable d'atteindre un juste milieu entre une franchise brutale et une diplomatie irréaliste. Il cherche à s'instruire, à apprendre d'abord, à comprendre aussi, à acquérir de plus en plus de compétence pour agir avec de plus en plus d'excellence. Il cultive sans cesse l'estime de soi en vue de se sentir capable de faire face au monde et à la vie, de se respecter et d'être respecté, d'atteindre un certain prestige social, de mériter une bonne réputation, de se créer un statut de crédibilité; il est capable de féliciter et d'être félicité, d'apprécier et d'être apprécié, de reconnaître et d'être reconnu. Il aime lire des livres, suivre des cours, écouter des cassettes; plus il apprend plus il découvre qu'il peut apprendre, et plus il connaît de choses, plus il découvre qu'il connaît peu de chose.

Et, la cinquième pointe de l'étoile, c'est la beauté. Ce professionnel de la vente cherche en lui et autour de lui ce qui est beau, ce qui est harmonieux dans les lignes, les couleurs, les styles, les paysages, les personnes, les activités, les réalisations. Il a faim et soif d'une croissance continuelle, d'un épanouissement constant, d'un dépassement de soi régulier. Il cherche à réaliser des rêves et aussi à se réaliser. Il cherche à atteindre des objectifs et à se maintenir continuellement en action vers les objectifs qu'il a choisis. Il cherche à augmenter sa puissance non pas pour dominer les autres mais simplement pour se dominer lui-même et maîtriser sa vie. Il vise à mieux connaître, développer et utiliser tout son potentiel, ses talents, ses actifs. Il est toujours satisfait de la vie qu'il observe comme étant un miracle continuel mais il n'est jamais satisfait de lui-même car sa quête de croître, de grandir et de s'améliorer de toutes les façons possibles est éternelle. Il prend de plus en plus conscience que la véritable beauté est intérieure, spirituelle, angélique, céleste et divine. Il se fait une conception personnelle d'un Être suprême qui L'aime, Le comprend et Le protège. Il sait qu'il a de l'intuition et qu'il peut s'en servir, il sait qu'il a de l'humour et qu'il peut dédramatiser les situations. Il sent que la vie est adorable telle quelle et qu'il peut vivre pleinement, un instant à la fois, dans l'instant présent.

Un professionnel de la vente qui a un tel idéal, devient un professionnel de la vente idéal. Un professionnel de la vente doté d'une si bonne étoile devient un professionnel de la vente étoile et ce professionnel de la vente étoile cherche aussi un employeur étoile.

Souhaitons-nous mutuellement
une vie d'efficacité, de sécurité,
de bonté, de vérité, et de beauté!

La vente, c'est quoi?

1- Un travail qui me permet de travailler à mon rythme selon un horaire que j'ai choisi;

2- Un travail qui me donne l'occasion d'être mon propre patron et d'acquérir ma propre discipline;

3- Un travail qui me présente toujours de nouveaux défis que je dois relever avec audace et créativité;

4- Un travail qui me garde dans un climat de concurrence où je dois maintenir un haut niveau d'efficacité;

5- Un travail qui me donne l'occasion de rencontrer des gens intéressants, stimulants, enthousiasmants;

6- Un travail qui me fait découvrir mes forces et mes faiblesses en vue d'un dépassement continuel;

7- Un travail qui me pousse à l'actualisation de mes talents et à la réalisation de mes rêves.

Vous voyez que je n'ai pas mentionné du tout l'argent, ni le revenu, ni le profit, pourquoi? Car l'argent suivra ce que j'en aurai retiré d'abord, c'est-à-dire la paix, la joie, l'amitié, la santé et surtout la satisfaction d'avoir rendu service et d'avoir trouvé et créé des solutions aux problèmes des clients.

De plus, la vente permet de travailler selon un horaire flexible, à la poursuite de réalisations déterminées, en rencontrant des gens en mouvement et en établissant soi-même son propre salaire, grâce aux résultats concrets de ses efforts.

Et, si nous bâtissons notre carrière d'une façon professionnelle, ce que nous gagnons, ce ne sont pas des commissions mais des honoraires.

Développer la capacité de vendre, c'est faire grandir la liberté de réussir d'une façon originale, selon un style unique.

C'est une capacité qui se développe, en observant, en étudiant, en expérimentant.

Il s'agit de commencer, de continuer, et surtout de persévérer!

Test : Savez-vous vendre ?

En période de pointe, on a tendance à tenir pour acquis les ventes : l'affluence est garantie, tout est mis en œuvre pour que les clients achètent. D'autre part, dans le but de donner le meilleur service et les meilleurs conseils, les employeurs se contentent souvent d'engager du personnel possédant avant tout une bonne formation. C'est sans doute une excellente idée. Mais, dans le commerce en général, on observe que les ventes pourraient augmenter en moyenne de 5 à 10% si tous étaient mieux instruits des techniques de vente. Dans cet esprit, la revue *Québec Vert*, de concert avec moi, avons mis au point un petit test dont les réponses donnent un aperçu de ce qu'il faut savoir pour être bon professionnel de la vente.

En guise de préambule, voici un projet de définition du verbe « vendre » :

- Vendre, c'est d'abord bien servir la clientèle;
- Vendre, ce n'est pas seulement prendre des commandes : c'est créer et trouver des solutions aux problèmes du client;
- Vendre, c'est suggérer des nouveautés, donner des idées et des conseils dans le but de les monnayer, tout en gardant en tête que le client doit sentir qu'il fait une bonne affaire. Vendre, c'est donc lui faire acheter, dans son intérêt, tout et même un peu plus que ce qu'il avait prévu, sans pour autant qu'il se sente bousculé, sans non plus qu'il manifeste le moindre regret, une heure, un jour ou un mois après la vente;
- Vendre, c'est enfin servir les intérêts financiers de l'entreprise (= maximiser les profits) tout en recherchant la satisfaction inconditionnelle du client (= répéter les profits).

Voici 10 questions pertinentes. Répondez-y en cochant d'un X les réponses les plus appropriées à votre avis. Vous

pourrez les vérifier et approfondir la réponse que nous considérons la plus judicieuse, juste après la présente série de questions.

Vrai Faux

1- La meilleure façon d'aborder un client, c'est de lui demander: «Puis-je vous aider?»

2- Les techniques de vente sont les mêmes pour tous les clients, seule la forme diffère?

3- Un bon professionnel de la vente ne doit pas trop parler?

4- Faire parler le client de ses goûts et de ses habitudes est une perte de temps?

5- Le plus important dans la vente, c'est de bien connaître son produit?

6- Le client a toujours raison?

7- Dans la vente, il vaut mieux savoir ce que fait la concurrence?

8- Quand un client se plaint, la première chose à faire, c'est de le calmer?

9- On risque de perdre un client lorsqu'on lui propose d'acheter les produits complémentaires à son achat principal?

10- Certains naissent avec des talents de professionnel de la vente?

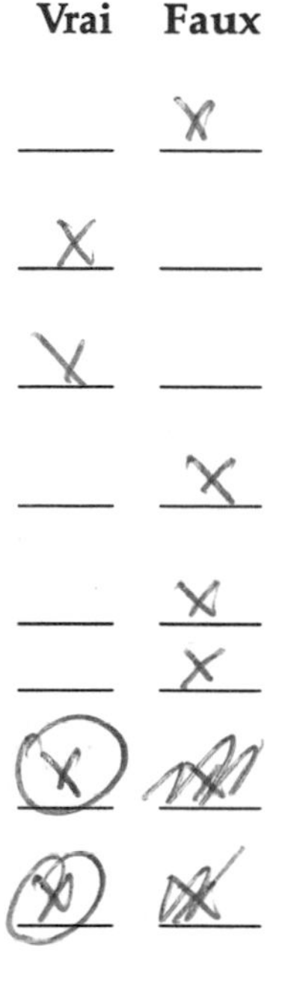

Vérifiez vos réponses aux pages suivantes:

1- **Faux**. Demander à quelqu'un: «Puis-je vous aider?», c'est comme lui demander: «Êtes-vous venu ici pour acheter?» La réponse est évidente. Il n'est sûrement pas venu pour prendre l'autobus. La question: «Puis-je vous aider?» est tellement galvaudée et est tellement passée dans les mœurs que nous en avons oublié le vrai sens. Si vous, vous n'êtes pas là pour aider le client, qui donc le fera? Il est plus pertinent de l'aborder ainsi: «Mon nom est Jean, je suis ici pour répondre à vos questions.» On peut aussi prendre une minute pour observer à quoi s'intéresse le client et passer une remarque positive susceptible d'attirer son attention et de lui donner envie d'acheter.

2- **Vrai**. Il existe toutes sortes de clients: des attentifs, des muets, des bavards, des vantards, des hésitants, des pessimistes, des «coureurs» de rabais, etc., mais les techniques de vente ne changent pas de l'un à l'autre. Ce qui change, c'est votre façon d'utiliser ces techniques, c'est-à-dire l'emballage dans lequel elles sont contenues. On peut appeler cela de l'opportunisme, de la manipulation, mais c'est tout simplement du savoir-faire. De façon simplifiée, une vente se décortique en cinq parties: attirer l'attention, stimuler l'intérêt, créer le désir, convaincre, déclencher l'action d'acheter, et rassurer sur la justesse ou la pertinence de l'achat.

3- **Vrai**. On estime, de façon générale, qu'un professionnel de la vente est à 35% émetteur (il parle), et à 65% récepteur (il écoute). Des variations peuvent survenir selon le genre de client. Un bon professionnel de la vente se sert de ce qu'il entend pour le transformer en ventes. Et quand il parle, un bon professionnel de la vente ne parle pas pour rien dire, il explique bien sûr, mais mieux encore, il démontre.

4- **Faux**. Plus on en sait sur les goûts et les habitudes du client, plus on est en mesure de viser juste quand on lui propose d'acheter tel ou tel produit. C'est en posant des questions (beaucoup de questions s'il le faut) qu'on arrive à connaître son interlocuteur. Dans la vente, il y a deux sortes de questions: celles qui amènent une réponse brève, un oui ou un non, et celles qui amènent un commentaire. On utilise les premières seulement pour connaître un fait précis utile pour orienter les suggestions. Exemple: «Cherchez-vous quelque chose de spécial?» Les secondes permettent au professionnel de la vente de rester maître de la situation. Exemple: «Pouvez-vous me décrire le devant de votre maison?» Deux points importants: ne craignez pas de laisser des silences dans la conversation (ils vous aideront); une question peut être remplacée par un commentaire, suivi ou non de: «N'est-ce pas votre avis?»

5- **Faux**. Connaître son produit est important mais il est rare qu'on puisse savoir tout ce qui se vend dans un centre d'articles pour le jardin. Alors, le plus important, c'est de bien présenter le produit en question – c'est-à-dire tel qu'on souhaite le faire paraître, tel qu'on veut que le client le perçoive, autrement dit, comme il est, mais sous un angle avantageux pour ce client particulier. Point n'est besoin de se lancer dans de longues explications, il s'agit simplement de se limiter aux arguments qui décident le client. Éviter absolument d'être trop technique. Dans une conversation, remplacer le «je» et le «nous» par le «vous», c'est démontrer au client qu'il est le personnage important.

6- **Faux**. Le client n'a pas toujours raison mais il est bon de le lui laisser croire pour éviter toute argumentation stérile. Une discussion qui ne débouche pas plus ou moins rapidement sur une vente, est inutile. Plutôt que d'attaquer de front, il est préférable de bien écouter le discours du client puis de retourner un ou plusieurs points de son argumentation à votre avantage. Trois conseils: dressez une liste des objections les plus courantes et préparez les réponses appropriées; étouffez les objections avant qu'elles apparaissent (voir la dernière phrase de la réponse nº 1); toujours admettre la vérité face à un client qui cherche à vous prendre en défaut.

7- **Vrai**. Connaître les grands points de la politique de prix des concurrents et le service qui accompagne ces prix peut vous donner l'avantage lorsqu'un client vous dit: «C'est trop cher!» ou «Je vais y penser». N'oubliez pas que le client veut avoir l'impression qu'il fait une bonne affaire. En principe, il y a toujours une ou plusieurs raisons pour que vos prix soient plus élevés que chez le voisin (s'ils le sont). Le client doit être informé de tous les avantages reliés aux prix. Au cours d'une conversation, le professionnel de la vente ne doit pas faire du prix le sujet principal, mais il lui revient (pour garder l'initiative) d'aborder le sujet lui-même, sans hésitation. Il importe aussi de ne jamais dénigrer un tant soit peu un concurrent.

8- **Vrai**. N'essayez surtout pas de raisonner une personne en colère ou frustrée. Une erreur de votre part ne doit pas se transformer en perte de clientèle. Alors, amenez le mécontent à parler raisonnablement, donnez raison à sa contrariété, prenez objectivement connaissance de ses réclamations, faites-les préciser par des questions, si possible expliquez l'origine de l'erreur et enfin, proposez des accommodements en accord avec la direction de l'entreprise.

9- **Faux**. Ce n'est pas vendre «à pression» que de vendre par exemple un engrais, un sac de terre, un insecticide, une pelle et un tuteur à quiconque achète un arbre fruitier. C'est lui rendre service, c'est lui assurer que, pour obtenir les meilleurs résultats, il a besoin de ces éléments. Naturellement, il y a la façon de le faire; en effet, pour chacun de ces articles, il faut persuader le client du bien-fondé de son achat. Il faut aussi, bien sûr, en être soi-même convaincu. Être un bon professionnel de la vente, c'est tout cela à la fois et un bon représentant attire le respect. Pour le bien de votre entreprise, les clients doivent repartir avec tout ce qu'il leur faut: maximiser les ventes pour maximiser les profits dépend en majeure partie du dynamisme de l'équipe de vente.

10- **Vrai**. Oui, ils naissent avec des talents, mais seulement avec des talents. S'ils veulent devenir les meilleurs, les gens les plus talentueux (parlons des artistes, par exemple) doivent toujours appuyer leur don sur une technique éprouvée. La vente est une technique qui s'apprend. Elle ne s'improvise pas. Elle nécessite de la pratique. Elle comporte aussi des recettes. Chacun en fonction de sa personnalité peut développer ses propres méthodes. Et quand elles marchent, il ne faut pas les changer. Si elles débouchent sur une augmentation des ventes et sur la satisfaction du client, elles ont rempli leur rôle ultime: aider l'entreprise à grandir en taille et en réputation.

Alors où en êtes-vous dans ce domaine?

Attribuez-vous 10 points par bonne réponse.

Si vous obtenez moins de 50 points: vous avez sans doute de bonnes connaissances, mais vous ne savez pas, ou n'osez pas les transformer en ventes. Sachant que la satisfaction du devoir accompli est une donnée essentielle de l'amour du métier, il serait bon que vous lisiez un ou deux livres sur les techniques de vente. Ou bien demandez à votre employeur de vous envoyer suivre un cours, ou bien suggérez-lui de faire venir un conférencier pour vous enseigner, ainsi qu'à vos collègues de travail, les rudiments de la vente.

Si vous obtenez entre 50 et 70 points: ou bien vous avez de bonnes dispositions, ou bien vous avez su profiter de votre expérience ou de celle d'un autre pour vous perfectionner. De toute façon, vous devriez approfondir vos connaissances de la vente. Vous verrez, c'est passionnant. Et comme, en plus, vous placez votre fierté dans le travail bien fait, vous en tirerez de grandes satisfactions.

Si vous obtenez plus de 70 points: votre expérience de professionnel de la vente ne date sûrement pas d'hier. Vous connaissez les techniques qui mènent au succès. Mais ne vous endormez pas sur vos lauriers, raffinez votre science et transmettez-la le plus simplement du monde, aux professionnels de la vente moins expérimentés.

Article paru dans Québec Vert, mars 1987,
dans *Lien Horticole*, 10 septembre 1987, de France,
et dans *Rayons Jardin*, de Paris, été 1988.

Vendre, c'est rendre service!

Mesurez votre maturité

1- Est-ce que vous choisiriez de passer une soirée seul?

2- Supposons que vous souhaitiez aller dans un restaurant en particulier et que vos amis en choisissent un autre où la nourriture est épouvantable; leur diriez-vous que vous ne voulez pas y aller?

3- Supposons que, lors d'une réunion, un vote est pris en faveur d'une décision que vous rejetez. Vous lèverez-vous pour protester même si vous ne pouvez pas changer l'opinion de la majorité?

4- Avez-vous déjà abandonné une série de choses que vous deviez faire, faute de temps?

5- Dans un projet de groupe, avez-vous l'habitude de faire un peu plus que votre part?

6- Admettrez-vous qu'il y a 10 ans, vous étiez une personne plus intéressante qu'aujourd'hui?

7- Lorsqu'un meilleur moyen de faire quelque chose est suggéré par quelqu'un d'autre, êtes-vous l'une des premières personnes à en découvrir les avantages?

8- Supposons que vous rencontrez un camarade d'enfance qui a obtenu de grands succès. Êtes-vous un peu jaloux en le pensant moins heureux que vous?

9- Est-ce qu'il vous est assez facile d'attendre pour les choses que vous désirez vraiment?

10- Lorsque vous êtes en groupe et que vous aimeriez poser une question, hésitez-vous par crainte de vous tromper?

11- Êtes-vous un membre actif d'une organisation où vous pouvez travailler bénévolement pour le bien de la société?

12- Êtes-vous antipathique envers ceux qui semblent se placer régulièrement les pieds dans les plats?

13- Avez-vous étudié quelque chose en profondeur au cours des douze derniers mois?

14- Est-ce que vos années d'étude ont été les meilleures de votre vie?

15- Avez-vous répondu à toutes les questions honnêtement sans chercher à deviner la bonne réponse et en répondant en ce sens?

Commentaires:

Certains experts résument ainsi les neuf principales caractéristiques de la maturité d'une personne d'affaires: la responsabilité, l'initiative, la patience, le réalisme, la confiance, la tolérance, la créativité, la persévérance, et l'enthousiasme.

En révisant ce test, donnez-vous deux points pour les questions impaires auxquelles vous avez répondu oui et deux points pour les questions paires auxquelles vous avec répondu non. Si vous obtenez un total de 24 points ou plus, vous possédez un degré de maturité au-delà de la moyenne. Si le total est entre 16 et 22 points, vous êtes dans la moyenne et si le total est en bas de 16 points, consolez-vous, car vous n'êtes pas le seul.

Une crise

Une crise, c'est un moment périlleux et décisif. Voilà la définition du dictionnaire.

L'histoire de l'humanité, tout comme notre vie personnelle, est marquée de plusieurs crises.

Ces moments ont provoqué des tensions, des inquiétudes, voire même des tentations de découragement. Lorsque les crises se répètent, nous nous disons: «Je ne suis pas normal! Peut-être que je suis en train de devenir fou!»

Des crises se produisent dans le domaine de la santé: c'est le cœur, le rein ou le foie qui fait des siennes.

D'autres crises surviennent sur le plan des relations humaines: des parents, des amis, des collaborateurs nous délaissent, nous méprisent, nous repoussent ou nous trahissent.

Enfin, certaines crises compliquent la vie matérielle: une perte d'argent, une diminution de revenus, des restrictions de crédit, des prévisions douteuses, des rapports défavorables.

C'est dans ces moments de crise que nous avons le goût de tout lâcher, de reculer, de démissionner, d'arrêter.

Le président John Fitzgerald Kennedy, qui a probablement connu le maximum d'épreuves, de problèmes et de difficultés, savait que le mot «crise» est représenté en chinois par deux symboles superposés. Le caractère du haut signifie danger, celui du bas fait penser à la notion de complexité, de changement, d'évolution, d'opportunité. Pourquoi? Parce que nous devons relier ces deux dimensions qui semblent incompatibles. Des dangers menacent la société. Cependant, toutes les ressources physiques, intellectuelles, émotives et spirituelles sont comme amalgamées, et chacun de nous peut apporter sa pierre à la construction du monde, peut donner une idée pour créer des solutions à la crise actuelle, peut faire une différence et y changer quelque chose.

Le danger nous invite à la prudence et à la réflexion!
L'opportunité nous invite à l'audace et à l'action!

Tout le monde devrait suivre des cours

Pourquoi? Car...

1- Une personne apprend à préparer son futur, à investir pour plus tard, à planifier une retraite anticipée, de façon à mieux savourer la vie, comme un rentier utilise ses rentes bien méritées pour mieux découvrir l'univers.

2- Une personne apprend à mieux comprendre le fonctionnement de la vie économique puisque l'immobilier (si c'est le cours qui l'intéresse, par exemple) est l'un des trois fondements de l'économie avec l'alimentation et le vêtement. Une personne acquiert aussi le goût de l'initiative, le sens des responsabilités et le désir de s'engager à fond et de prendre sa vie en main sur le plan financier.

3- Une personne apprend à mieux s'adapter avec patience, en travaillant dans un esprit d'équipe avec des personnes qui ont assez de caractère pour penser à économiser en vue d'investir et, c'est prouvé en biologie, un être vivant qui s'adapte, c'est un être vivant qui se prépare à mieux survivre.

4- Une personne apprend à mieux affronter la réalité de la condition humaine et à gagner sa vie plus facilement en faisant travailler son argent et aussi celui des autres, c'est-à-dire l'argent des institutions prêteuses.

5- Une personne apprend à bâtir sa confiance en elle-même en acquérant des connaissances pour mieux réussir des transactions, en découvrant que plus on apprend, plus on peut apprendre et ainsi atteindre un plus haut niveau de compétence et d'excellence.

6- Une personne apprend à développer sa tolérance envers d'autres personnes qui viennent de milieux différents malgré leur âge, leur occupation, leur scolarité, leur nationalité, leur pays d'origine, leurs croyances religieuses ou leur option politique.

7- Une personne apprend à se débrouiller, à se tirer d'affaire, à inventer des solutions à des problèmes, à créer des moyens nouveaux de gagner sa vie selon son style, à innover par sa façon de faire les choses à différents points de vue.

8- Une personne apprend à cultiver la persévérance en faisant partie de tables rondes où les gens s'entraident pour terminer un cours commencé, pour trouver des moyens de mener à terme un travail d'équipe et acquérir ainsi une plus grande stabilité intérieure.

9- Une personne apprend à développer l'enthousiasme personnel tout en vivant l'enthousiasme d'un groupe en pleine évolution. La personne apprend par de multiples petits détails à mieux négocier son espace, à mieux travailler quotidiennement à son marketing personnel, à améliorer sa façon de s'exprimer avec spontanéité et originalité dans toutes ses démarches de communication et de vente pour ainsi en arriver consciemment à rendre plus de services à la société, à vivre avec plus d'harmonie et d'efficacité et, par conséquent, à en retirer un meilleur revenu, bien mérité.

Ne laissez personne détruire vos rêves et travaillez pour les concrétiser!

Les trois approches

Lorsque vous vous inscrivez à un cours, vous pouvez poursuivre trois objectifs:

Premièrement, décidez d'acquérir le savoir. Cherchez à absorber le plus de connaissances possible pour pouvoir faire preuve de compétence et d'excellence en tout temps. Vous aurez la tâche d'acquérir ce savoir et de l'éprouver par des examens.

Ensuite, engagez-vous à obtenir du savoir-faire, à vous exercer, à vérifier le bien-fondé de la théorie de façon à ce que vous puissiez développer vos habiletés et mettre en pratique ce que vous aurez appris. Vous devrez donc plonger à fond, surmonter certaines réticences, et prouver que vous pouvez grandir et vous renforcer.

Et, finalement, choisissez de prendre conscience du «savoir-être», savoir être bien avec soi-même, savoir être bien avec les autres, savoir être en paix par rapport aux grandes joies et aux grandes difficultés de la vie, par rapport aux victoires et aux échecs, quant aux émotions agréables et aux émotions désagréables; savoir être capable d'entrer en contact avec soi-même, de vérifier ses convictions profondes, de créer et conserver une paix spirituelle importante pour la personne humaine en pleine évolution. Ce «savoir-être» amènera quelqu'un à être la recherche constante de l'absolu, à développer sa confiance en un Dieu, tel que chacun Le conçoit.

Le savoir et le savoir-faire seront transmis par les professeurs mais le savoir-être sera créé par le groupe où chacun sera capable de prendre sa place, d'apporter son support, de s'affirmer tout en respectant l'autre personne, tout en l'acceptant telle quelle, avec ses qualités et ses défauts. Cet esprit de groupe créera le «savoir-être» d'une façon presque tangible, car même si les professeurs changent et se succèdent, vous êtes toujours présent et vous formez un tout!

Savoir-être!

Vous commencez des cours: félicitations!

Vous êtes unique! La probabilité qu'il existe une autre personne comme vous est de 1 sur 10 à la puissance 2 400 000. Ce qui signifie que vous serez un professionnel de la vente unique, nouveau, rare et doté de votre propre style.

Prenez donc la résolution d'apprendre le plus de détails possible pour perfectionner votre style. N'argumentez plus avec quiconque. Donnez à votre cerveau le plus d'idées possible pour toujours prendre conscience de toutes les facettes de votre style en vue de le connaître pour le développer et mieux l'utiliser.

Vous suivez des cours avec ce groupe, par hasard ou par choix. Si c'est par hasard, vous devriez déjà démissionner car tout peut se régler par hasard. Mais si, vous croyez que c'est par choix, alors bravo! Continuez! Car vous assumez la responsabilité de votre vie.

Est-ce qu'une femme est enceinte un peu ou totalement? Est-ce qu'une personne humaine est responsable un peu ou totalement? Est-ce que vous préférez que les gens vous considèrent un peu responsable ou totalement responsable?

Si vous choisissez d'être responsable de votre vie, vous faites des choix et vous prenez votre vie en mains. Lorsque vous faites une réorganisation de carrière, c'est un peu comme si vous vous preniez par le pantalon ou la jupe et que vous vous tourniez complètement en faisant un tour de 180 degrés. Vous quittez votre passé pour plonger dans le futur. Vous quittez un passé connu pour plonger dans un futur inconnu.

Lorsque vous commencez des cours, vous sentez de l'énergie auprès des gens qui vous entourent. Au fur et à mesure que vous partagerez des objectifs avec coopération, entraide et esprit d'équipe vous sentirez une synergie et, si vous êtes 30 dans le groupe, vous n'aurez plus l'impression d'être 30 personnes, mais un groupe de 30 au carré comme s'il y avait 900 personnes dans la salle. Et le groupe deviendra plus grand que le total des personnes qui le forment.

Vous y arriverez, si vous remplissez les trois conditions suivantes:

1- Adoptez une attitude mentale positive! Ne laissez personne détruire votre rêve. Vous avez un nouvel objectif. Vous relevez un nouveau défi. Vous foncez vers du nouveau.

2- Adoptez une attitude physique positive! Prenez soin de votre santé. Prenez soin de votre apparence. Veillez à votre alimentation. Faites un minimum de culture physique. Dormez bien et évitez tout ce qui peut intoxiquer le corps humain, ensuite plongez totalement corps et âme vers vos buts, jusqu'au bout.

3- Adoptez une attitude sociale positive! Choisissez de vivre cette expérience de groupe avec patience et tolérance. Vous ne savez d'ailleurs pas qui vous aiderez le plus, comme vous ne savez pas qui vous aidera le plus! Les autres ont besoin de vous et vous avez besoin des autres! Lorsque vous parlez de votre groupe, ne dites pas «ils» sont comme ceci ou cela, mais dites plutôt «nous» sommes comme ceci ou cela. Vous vous sentirez ainsi intégré au groupe, vous serez vraiment membre du groupe à part entière. Dans cette optique, le groupe n'est pas complet sans vous et, sans le groupe, vous ne pouvez pas réussir pleinement.

De plus, quand vous parlez de votre groupe à la maison, ne risquez pas de blesser les membres de la famille en leur vantant inconsidérément votre groupe, comme si, par cette attitude, vous amenuisiez l'importance de vos êtres chers. Dites aux gens qui sont dans votre vie que vous les estimez, que vous les aimez, et que vous vivez une expérience intéressante qui profitera à tout le monde.

Et souvenez-vous que, pour effectuer une réorientation de carrière à votre âge et avec un groupe comme le vôtre, vous devez manifester une grande volonté et une grande détermination. Ma grand-mère dirait:

«Que vous avez la tête dure, une tête de... cochon!»

Alors, si vous avez une telle tête, les autres aussi! Vous verrez d'ailleurs que ce ne sera pas toujours facile de vivre toute la durée de votre cours avec un tel groupe. Ce sera pour vous l'occasion de manifester, de cultiver et de développer votre patience et votre tolérance. Car dans un groupe aussi hétérogène – c'est-à-dire composé de gens qui viennent de différents milieux avec différentes formations, différentes attitudes et différents comportements – vous devrez prouver que vous êtes un être vivant qui veut survivre en s'adaptant totalement aux circonstances de lieu, de temps et de personnes.

Et ce sera un apprentissage merveilleux en vue de votre nouvelle carrière. Car vous devrez vous adapter régulièrement à toutes les personnes qui sont déjà dans la vente, incluant votre employeur, et aussi vous habituer à tous les genres de clientèles, aux gens qui cherchent à vendre ou à acheter des biens, et qui ont prouvé, à force de discipline personnelle, leur capacité d'économiser, de faire des sacrifices dans le temps présent, dans le but d'amasser un capital qui fructifiera pour un avenir meilleur.

Vous êtes unique!
Perfectionnez votre style!

Les cinq résultats possibles

Dans l'ensemble, le pire que vous puissiez retirer des cours, c'est rien! Il se peut que, pour différentes raisons, vous ayez l'impression de ne rien retirer des exercices pratiques, mais plongez à fond malgré tout! Donnez-vous totalement à cette expérience, et vous en retirerez probablement cinq résultats:

1- Pensez avec plus de confiance en soi. Nous travaillerons ensemble à surmonter la peur sous toutes ses formes, particulièrement la peur de l'opinion des autres et celle de paraître ridicule. Il va sans dire que cette crainte ne disparaîtra peut-être pas vraiment, mais chose certaine, vous pourrez faire quelque chose. Par exemple, certains sont terrifiés à l'idée de faire du bateau à voile et n'en font pas, alors que d'autres, malgré leur peur, en font quand même. Il se peut que votre nouvelle fonction suscite en vous certaines peurs. Vous avez le choix entre avoir peur et ne pas avancer, ou avoir peur et aller quand même de l'avant. Petit à petit, vous sentirez que la confiance en vous-même augmente; d'ailleurs vous l'aviez déjà, la preuve, c'est que vous êtes rendu là où vous êtes aujourd'hui. Mais la confiance, c'est comme l'amour, trop c'est peut être pas assez! Elle grandit à force d'être cultivée!

2- Parlez avec enthousiasme. Ensemble nous surmonterons nos soucis. Nous chercherons à être moins préoccupés par hier et demain et, nous penserons davantage à vivre l'instant présent. Ainsi, nous aurons la joie d'être avec nos clients, d'être totalement présents et fiers d'être des professionnels au service de la clientèle. Vos clients ont besoin de sentir que vous aimez votre profession, que vous êtes fier de rendre service, de créer et de trouver des solutions à leurs problèmes. Cet enthousiasme se manifestera dans vos pensées, dans vos paroles et dans vos actions.

3- Agissez avec décision. Nous chercherons ensemble à surmonter le doute et à utiliser un mélange de logique et d'intuition pour parvenir à se décider. Car, si vous ne prenez pas de décision par vous-même, d'autres personnes décideront pour vous. C'est correct de demander conseil, mais c'est pertinent aussi d'agir avec prudence. Penser et parler, c'est plus facile que d'agir dans ce cas-ci, car c'est par l'action que l'erreur est visible. Cependant, c'est par la décision que nous grandissons.

4- Vivez avec harmonie. Nous essaierons ensemble de surmonter cette timidité qui se manifeste quand, inconsciemment, une personne nous rappelle – sans qu'elle le sache, mais elle nous intimide quand même – quelqu'un de notre passé qui nous a impressionné d'une façon ou d'une autre. Cette capacité de vivre en harmonie nous amènera à nous adapter rapidement à différents tempéraments, à plusieurs caractères, et à un grand nombre de personnalités. Nous pourrons ainsi mieux réussir notre vie personnelle, notre vie sociale et familiale, et aussi, notre vie d'hommes d'affaires ou de femmes d'affaires continuellement en contact avec d'autres gens d'affaires. C'est démontré en biologie que les êtres vivants qui survivent, ce sont les êtres vivants qui s'adaptent aux circonstances quand les circonstances ne peuvent pas s'adapter à eux.

5- Dialoguez avec plus d'efficacité. Nous aurons à surmonter le trac et à apprendre à parler en public en toute circonstance chacun selon son style. Vous aurez l'ambition de faire partie du groupe de 20% des professionnels de la vente qui réussissent 80% des ventes. Pour cela, vous devez travailler avec 4 fois plus d'efficacité que la moyenne des gens dans votre carrière, et pour y arriver, vous devez vous occuper de votre «marketing» personnel – c'est-à-dire de faire connaître le mieux possible la qualité de vos services – de façon à ce qu'un plus grand nombre de personnes soit au courant de votre compétence, de votre excellence. Pour cela, n'hésitez pas à prendre la parole chaque fois que vous êtes en groupe; dites votre nom et dites que vous êtes professionnel de la vente. Faites-vous connaître chaque jour à beaucoup de personnes.

L'action mène à des résultats!

Formation et transformation

Pour l'individu, comme pour l'entreprise, de nombreux changements requièrent une adaptation rapide et constante: la création de nouvelles inventions, la prise de conscience des consommateurs, l'arrivée de nouvelles valeurs, la floraison de nouveaux styles de vie, la multiplicité des associations, la variété des activités internationales, la diversité des nouvelles professions, la sectorisation du marché, tout cela nécessite une nouvelle technologie de formation et de transformation.

Le dictionnaire définit le mot technologie comme étant l'ensemble des outils, des techniques et des procédés employés dans une branche des affaires. C'est en ce sens que l'on peut parler de la technologie «andragogique» développée progressivement et mondialement dans des cours, ateliers, séminaires et conférences.

Cette technologie privilégie trois approches:

L'approche analytique, où l'on aborde la théorie: le savoir en vue du rendement à court terme pour le développement des aptitudes.

L'approche behavioriste, où l'on touche le comportement: le savoir-faire, en vue de résultats à moyen terme pour perfectionner ses attitudes.

L'approche humaniste et existentielle, où l'on met l'accent sur l'humanisme de l'existence: le «savoir-être», en vue d'une croissance à long terme pour renforcer ses habitudes. Cette technologie unique crée l'espace où les participants peuvent choisir de faire confiance au cerveau gauche et au cerveau droit, se permettant ainsi d'améliorer leur mémoire et leur capacité de se concentrer, de mieux utiliser leur intuition et leur créativité tout en arrivant à mieux relaxer. Ainsi, ils peuvent mieux organiser leur temps, vivre avec plus d'harmonie et d'efficacité, mieux apprendre, apprendre à apprendre, apprendre à apprendre plus de choses, apprendre à apprendre plus de choses plus rapidement.

Quelque soit le sujet du cours, cette technologie donne le goût d'agir au lieu de réagir, d'être de plus en plus en action vers des projets et, de moins en moins en réaction à des problèmes.

Cette technologie fait que les cours ne sont pas uniquement des moyens de transmettre des connaissances, ce sont d'abord des ateliers où les participants échangent non seulement des idées mais encore et surtout des expériences. C'est pourquoi tous découvrent en eux, et autour d'eux, des outils qu'ils peuvent utiliser rapidement et quotidiennement dans toutes leurs activités, que ce soit au travail, à la maison ou dans les loisirs.

Puisque les dirigeants d'une entreprise s'attendent à ce que quelqu'un les remplace demain, ils ont le courage de créer aujourd'hui un climat de formation grâce à cette technologie «andragogique».

Cette technologie permet aux participants de vivre une expérience de formation interactive où chacun apprend à être un meilleur animateur de sa vie personnelle, tout en contribuant à animer, un tant soit peu, la vie des autres.

Cette technologie ne peut pas devenir désuète parce qu'elle grandit tout en contribuant à faire grandir la personne. Quand les besoins de la personne changent, les outils changent en même temps. Quand la personne se transforme, les outils se transforment.

La formation et le développement causés par cette technologie permettent de diminuer les griefs, l'absentéisme, les coûts de production, tout en augmentant l'efficacité, en améliorant les comportements, les habiletés, les attitudes des leaders actuels et habituels, avec comme conséquence la bonification de la Q.V.T., «la Qualité de Vie au Travail», «la Qualité de la Vie et du Travail».

C'est une approche humaniste et existentielle qui respecte le rythme de chacun, dans le vécu de son instant présent. Chacun apprend à regarder le passé avec un œil neuf, à vivre le présent d'un nouveau point de vue, et à créer le futur avec une vision renouvelée.

C'est une technologie qui tient compte de la résistance au changement et qui permet à chaque personne de s'attendre au changement, de planifier le changement et d'accepter le changement avec une plus grande ouverture d'esprit.

Voici une question posée par une personne qui s'interroge sur la validité de cette technologie: «Pouvez-vous acquérir toute une vie d'expériences en seulement quelques jours?» Non..., mais si vous ne faites pas attention, vous prendrez peut-être toute une vie pour acquérir ces quelques jours d'expériences! Regardons les choses en face, les professeurs qui utilisent cette technologie, peuvent être les meilleures personnes qu'un groupe de participants puisse rencontrer. Ils peuvent amener les participants à se sentir forts relativement à leur croissance personnelle, contents de vivre dotés d'une compétence sans cesse grandissante, enthousiasmés par le fait d'apprendre de plus en plus de choses, de plus en plus rapidement, satisfaits de pouvoir régler les problèmes un à un et de faire face à toutes les situations lorsqu'elles arrivent.

Un adulte qui grandit,
c'est un adulte qui continue sans cesse
sa formation et sa transformation!

La créativité et le «brainstorming»

Pourquoi parler de créativité à un professionnel de la vente?

Premièrement, vous allez devoir inventer un nouveau style de vie pour votre famille et vous. Il n'y aura ni routine, ni priorité, ni régularité dans votre vie. Vous devrez donc innover de multiples façons dans presque toutes les circonstances.

Deuxièmement, puisque vous êtes un professionnel de la vente unique, vous devrez créer des techniques originales pour le marketing de vos services personnels. Vous devrez travailler à vous faire connaître d'une façon unique.

Et, troisièmement, très souvent, c'est le financement qui bloque une transaction. Vous devrez donc inventer des façons nouvelles d'amener un acheteur à financer l'achat qui correspond à ses objectifs.

Et comme notre cerveau comporte deux hémisphères, nous devons les utiliser au maximum. Le côté gauche, c'est le côté de la logique, des pensées, de la mémoire et de toutes les facultés purement intellectuelles. Ce côté scientifique est en quelque sorte l'aspect informatique à la méthode IBM qui produit une sorte de résistance au changement. Pourquoi? Car notre cerveau gauche est toujours en train de nous répéter que nous sommes encore en vie aujourd'hui – grâce aux solutions que nous avons trouvées dans notre mémoire interne – étant donné que nous avons réussi à régler nos problèmes nous-même, et que nous possédons notre propre série de recettes à succès. Voilà pourquoi chacune des personnes vivantes possède une résistance au changement qui lui permet de demeurer elle-même et d'avoir une personnalité reconnaissable tout au long de sa vie.

Par contre, l'hémisphère droit, c'est l'hémisphère de la créativité, des émotions, de l'intuition et de tout l'aspect artistique de la vie. C'est le côté informatique à la méthode Macintosh. L'aspect enfant d'une personne qui aime tester des idées nouvelles qui lui viennent soit d'elle-même, de l'entourage, des autres ou des événements. Le cerveau droit a tendance à vivre avec une ouverture d'esprit et à accepter ce qui semblerait quelquefois une trop grande quantité d'idées nouvelles. Par contre, ces idées sont comme une nourriture qui nous aide à grandir, à acquérir des connaissances et de l'expérience, à embellir et à enrichir la vie. Voilà pourquoi, nous nous devons d'une part, être pratique comme un savant et, d'autre part, être rêveur comme un artiste.

Je vous recommande fortement de vivre avec une plus grande ouverture d'esprit, de façon à accueillir toutes les idées qui vous seront soumises par vos professeurs, par vos collègues de cours, par votre employeur aussi, et par tous les membres de votre famille. Accueillez ces nouveautés de la même façon qu'un ordinateur emmagasine les données qu'un opérateur lui soumet. Soyez sans crainte, car le côté gauche de votre cerveau est là un peu comme un gardien intérieur veillant à votre survie tel que vous êtes. En temps et lieu, ces deux ordinateurs communiqueront entre eux, opéreront un tri, et choisiront ce qui est bon pour vous. D'une part, vous serez la même personne et, d'autre part, vous aurez grandi. Vous serez comme une rivière qui est toujours la même, et dont l'eau se renouvelle sans cesse.

Et, pour que votre cerveau fonctionne bien, prenez soin de votre santé. Nourrissez-vous bien. Ajoutez beaucoup de fruits et légumes à votre alimentation, diminuez la consommation de desserts riches en sucre et en crème, les cigarettes, l'alcool, les drogues, l'abus de café et de boissons gazeuses. Car la santé de votre corps influencera infailliblement la santé de votre cerveau, de tout votre système glandulaire et, par le fait même, la qualité de vos pensées et de vos émotions. Par ailleurs, veillez à la qualité de vos pensées et de vos émotions car elles influencent grandement la qualité de votre santé. Prêtez grande attention à penser droit et juste, et répétez-vous souvent des phrases positives constructives. Ayez des émotions chaleureuses, agréables; des émotions d'amitié, d'amour, d'affection, de tendresse, de joie et d'enthousiasme.

Le «brainstorming» est une technique qui nous met en contact avec notre créativité.

Voici les trois principales étapes:

1- produire une grande quantité d'idées, même les plus farfelues, pour réaliser des projets ou résoudre des problèmes;

2- laisser mijoter un certain temps;

3- juger, choisir, et passer à l'action. L'action! Encore l'action! Toujours l'action!

Créez une affaire!
Et, lancez-vous en affaires!

«Superlearning»

Le «superlearning» est une technique élaborée et développée par des «andragogues*» de Californie qui veulent combattre le préjugé qu'un adulte ne peut pas apprendre aussi facilement qu'un adolescent et que, plus son âge avance, moins il a de chances d'apprendre, et il peut même parfois désapprendre.

Lorsque vous prenez la décision de réorienter votre carrière, quel que soit votre âge, votre occupation, votre scolarité, votre expérience, votre sexe et votre pays d'origine, vous devez utiliser au maximum toutes les facultés de votre cerveau: l'hémisphère gauche et l'hémisphère droit, en vue d'acquérir le plus d'informations possible pour bien effectuer votre travail, être utile à vos clients, et en retirer un revenu intéressant.

Pour en arriver à multiplier votre rendement intellectuel et augmenter votre capacité d'apprendre, différents principes sont suggérés:

1- Prenez soin de votre santé. Éliminez tout ce qui peut intoxiquer votre corps. Faites une promenade d'au moins une demi-heure par jour. Faites un peu d'exercice. Buvez entre 6 ou 8 verres d'eau. Dormez au moins 6 ou 8 heures. Ajoutez s'il le faut des suppléments vitaminiques, des protéines et des minéraux.

2- Prenez soin de vos émotions. Prenez le temps de lire, de jouer, de vous divertir. Prenez le temps de cultiver l'amitié, l'amour, l'affection, la tendresse, le pardon, et écoutez de la musique douce.

---

* Selon le *Dictionnaire du français Plus*, publié en 1987 par la librairie Hachette, «l'andragogie est l'ensemble des moyens pédagogiques visant le développement de l'adulte dans le sens de ses acquis professionnels». Un andragogue est donc un spécialiste de l'andragogie.

3- Réservez-vous du temps pour vous consacrer un tant soit peu à enrichir votre vie spirituelle. Révisez vos convictions. Si vous avez la foi, priez, ce sera facile, et vous savez que Dieu vous écoute. Si vous n'avez pas la foi, que vous ne croyez pas en l'existence Dieu, priez quand même au cas où...; au pire, ça ne vous donnera rien! Et alimentez en vous et autour de vous une atmosphère de paix, une paix intérieure et une paix extérieure pour acquérir cette certitude que, dans la vie, tout finit par s'arranger!

4- Choisissez d'apprendre. Apprendre ne veut pas dire comprendre. On peut apprendre des idées sans nécessairement les comprendre. Lors de vos études au collège ou au couvent, on vous répétait qu'il fallait comprendre et expliquer. Comprendre et expliquer, c'est très bien, ça convient très bien au côté gauche du cerveau, mais nous pouvons apprendre et laisser le côté droit du cerveau étudier le problème et arriver à des solutions.

Certains d'entre nous avons appris des choses sans les comprendre. Nous avons appris à faire démarrer un moteur d'auto, un climatiseur, un appareil électrique, sans vraiment savoir comment il fonctionnait, à moins d'avoir étudié à fond la mécanique de l'appareil.

Apprendre comporte souvent trois étapes:

1- Observez avec tous vos sens. Observez la réalité telle quelle dans tous ses détails.

2- Étudiez, lisez rapidement. Cultivez la mémoire des chiffres, des noms, des dates, en répétant calmement à plusieurs reprises les noms, les mots, les chiffres ou les images dont vous voulez vous rappeler.

3- Faites des expériences d'apprentissage, de la lecture rapide, même si vous avez l'impression de ne pas comprendre du premier coup. Lisez avec autant de promptitude aussi qu'une personne tape sur un clavier de dactylo, d'ordinateur, ou joue du piano, sans nécessairement suivre les touches une à une, mais en les effleurant vivement par habitude.

Choisissez d'apprendre d'abord, et de comprendre plus tard. Vous comprendrez un jour mais dites à votre cerveau gauche pour le sécuriser: «Ne t'en fais pas, cher cerveau, je choisis d'acquérir d'abord le plus d'informations possible pour comprendre plus tard.» Et plus tard, c'est peut-être un instant, une minute, une heure, une journée après.

Choisissez d'apprendre à apprendre. Dans votre groupe, échangez des idées. Parlez-vous. Dites-vous ce que vous avez appris. Dites-vous comment vous avez étudié.

Choisissez d'apprendre à apprendre plus de choses. Ayez l'esprit ouvert à toutes les matières de votre cours. Par exemple, quelqu'un peut dire: «Moi, je n'aime pas le droit» ou «Moi, je n'aime pas les mathématiques» ou «Moi, je n'aime pas l'évaluation». Par contre, le cerveau humain est comme un tableau sur lequel nous pouvons tracer ce que nous voulons, à condition d'accepter l'idée qu'on peut le tracer. Votre cerveau a la possibilité d'apprendre toute chose, il s'agit simplement de vous décider à le faire.

Choisissez d'apprendre à apprendre plus de choses, plus vite. C'est-à-dire, apprendre à mémoriser plus rapidement, à lire plus rapidement, à faire toutes sortes de choses plus rapidement. Quand j'étais écolier, nous apprenions une lettre à la fois, puis un peu plus tard, nous lisions un mot à la fois. Quelques-uns en sont venus à lire une demi-ligne à la fois. Cherchez à lire deux ou trois lignes à la fois. Vous en viendrez à lire un paragraphe au complet et, peu à peu, une page en entier d'un coup sec!

Et, prenez la résolution pour le reste de votre vie, d'être quatre fois plus efficace que la moyenne des gens, d'apprendre quatre fois plus choses, et quatre fois plus rapidement que la moyenne des gens! Lisez avec confiance. Vous pouvez grandir même dans ce domaine.

Et en conclusion, répétez à votre cerveau des phrases constructives, positives, tirées des bons volumes à votre disposition.

- Je peux le faire.
- Je peux réussir.
- Je peux atteindre mes objectifs.

- Apprendre, c'est une joie pour moi.
- Ma mémoire est bonne pour moi.
- Mon cerveau fonctionne efficacement.
- Mon cerveau fonctionne avec logique et créativité.
- J'ai de l'intuition.
- J'aime faire du calcul mental.
- Je me rappelle la bonne réponse au bon moment.
- Je me souviens de tout ce dont j'ai besoin.
- Je suis calme et j'ai confiance.
- Mon cerveau est un ordinateur puissant.
- Je fais face à ma vie un instant à la fois.
- Je choisis de vivre pleinement ma vie d'étudiant.

***Plus on apprend,
plus on peut apprendre,
plus on peut entreprendre!***

Formation continue

Continuez votre formation! Lisez des livres! Suivez des cours! Augmentez votre compétence! Travaillez avec excellence! Décidez de vivre toujours avec harmonie et efficacité.

Vous vous revaloriserez

Vous amasserez des idées nouvelles

Vous rendrez vos journées profitables

Vous économiserez du temps

Vous exploiterez vos talents

Vous mettrez en valeur votre expérience

Vous tirerez profit de vos connaissances

Vous ajouterez de la force à vos moyens d'expression

Vous investirez dans votre vraie mine d'or

Vous rentabiliserez vos efforts

Vous monnayerez vos idées avec confiance

Vous vivrez des expériences enrichissantes

Vous augmenterez le rendement de votre travail

Vous vous préparerez à saisir des occasions favorables

Vous bâtirez votre avenir vous-même avec enthousiasme

Vous mettrez toutes les chances de votre côté

Vous découvrirez tout votre potentiel

Vous rendrez vos démarches fructueuses

Vous apprendrez à vendre vos idées avec profit

Vous devancerez les autres

Vous construirez votre sécurité vous-même

Alors, ne courez pas le risque d'être laissé de côté

Alors, ne vous exposez pas à manquer votre coup

Alors, ne perdez pas de temps: plongez maintenant

Alors, ne ratez pas cette occasion de faire votre marque;

Alors, n'ayez pas peur de vous préparer à mieux vivre;

Alors, ne craignez pas de tirer profit de l'opportunité;

Alors, ne repoussez pas votre chance de devenir autonome;

Alors, ne vous laissez pas bloquer par la peur d'être heureux;

Alors, ne perdez pas de moments précieux et apprenez;

Alors, ne craignez pas l'argent, le gain, le surplus ou un meilleur revenu;

Alors, ne vous laissez pas intimider par ce grand défi: de réussir et de «se réussir».

Choisissez de grandir
dans la vente à votre rythme,
et selon votre style continuellement!

Communication

Un professionnel de la vente est un communicateur. En ce sens, il doit régulièrement mettre en pratique quatre grands principes:

1- L'intention: Demandez-vous souvent si vous avez l'intention de communiquer, de faire connaître vos services, de faire savoir que vous êtes dans la vente et que vous souhaitez aider des gens à résoudre des problèmes d'achat ou de vente. Allez même jusqu'à vous demander si vous choisissez vraiment de réussir dans la vie et de réussir votre vie. Autrement, votre stage dans la vente sera temporaire et vous pourrez dire par la suite: «Moi, je ne suis pas fait pour réussir, j'ai même essayé la vente!» Quand vous pensez, vous parlez, ou vous agissez, manifestez l'intention totale de réussir vos études et de réussir votre carrière. Lorsque vous parlez à quelqu'un, manifestez l'intention que cette personne perçoive votre message et vous accueille avec confiance dans le but de retenir vos services.

2- L'attention: Est-ce que vous vérifiez régulièrement si vous obtenez l'attention de la personne avec laquelle vous communiquez? Est-ce que par des questions vous vous assurez de savoir si l'autre vous écoute? Un professionnel de la vente doit être un expert dans l'art de poser des questions et d'écouter les réponses. Mais d'autre part, quand votre interlocuteur vous répond, êtes-vous attentif? Pratiquez-vous l'écoute active en posant des questions, en reformulant des réponses, en vérifiant si vous comprenez et donnez-vous l'assurance à l'autre que vous cherchez à comprendre. Écoutez-vous les sons avec vos deux oreilles et percevez-vous les signes avec vos deux yeux?

3- La clarté: Votre message est-il assez clair? Quand nous parlons, c'est clair pour nous, car nous savons où nous allons.

Mais quand l'autre écoute, perçoit-il avec la même clarté? Quand vous donnez les instructions à un client potentiel de suivre tel chemin pour que vous puissiez vous rencontrer à tel endroit, êtes-vous certain qu'il percevra votre idée avec clarté? Si je demande à quelqu'un: «Veux-tu m'apporter un crayon?» L'autre reviendra peut-être avec un crayon à mine. Je dirai: «Non, je veux un crayon bleu!» Il apportera alors un crayon à bille bleu, et je dirai: «Tu ne comprends rien, je veux un surligneur bleu pour écrire au tableau, de toute façon, laisse tomber, je le trouverai bien moi-même!» Et l'autre, exaspéré, vous rétorquera: «C'est ça, vas-y donc toi-même!» Alors tout le monde s'empressera de dire: «Il n'y a pas de communication ici!» Et tout le monde aura tort, car ce n'est pas le manque de communication qui est en cause ici, c'est la clarté du message qui est déficiente.

4- L'enthousiasme: Êtes-vous content d'être là? Êtes-vous fier de votre profession? Êtes-vous heureux de pouvoir rendre service à des êtres humains dans le monde? Êtes-vous fier de votre travail? Êtes-vous fier de votre employeur? Le jour où vous ne serez plus fier de votre profession: quittez-la! Le jour où vous ne serez plus fier de votre employeur: quittez-le! C'est important que votre clientèle perçoive l'image exacte d'un professionnel de la vente qui réussit, qui est compétent, intègre, et qui tient à rendre service à tous les genres de clients qu'il rencontre.

Votre enthousiasme se manifestera dans votre façon de dire bonjour, dans votre poignée de main, dans votre comportement, dans votre ton de voix, dans votre façon de poser des questions, et tout cela, bien sûr, selon votre propre style: un style que vous renouvellerez constamment. Un style qui vous est personnel car vous êtes unique! Et cet enthousiasme se manifestera également dans le non-verbal, votre regard résolu, vos gestes décidés, vos démarches solides, la propreté de vos vêtements, de votre corps, et dans toute votre allure. Devenez un expert dans l'art de poser des questions courtes qui amènent des petits «oui» en vue du grand «oui». Provoquez des réponses positives par des hochements de tête affirmatifs.

Pour vous affermir, affirmez-vous!

Animez une réunion!

Si vous êtes dans une association, il vous arrive de participer à une réunion comme membre ou comme animateur. Si vous êtes dans la vente, vous devez régulièrement rencontrer des clients, soit à leur résidence ou à leur bureau, ou encore à votre bureau. Si vous êtes dans une entreprise, il vous arrive sûrement de tenir une réunion de vos employés, soit pour obtenir des informations ou leur en donner. Dans le premier cas, c'est une réunion ascendante; dans le deuxième cas, c'est une réunion où l'information est descendante.

Voici les principales fonctions d'une personne qui anime une table ronde, une réunion ou un groupe de personnes:

1- Définissez les objectifs de la rencontre. Dites pourquoi vous êtes là, et dans quel but vous sollicitiez la présence des autres. Qu'est-ce que vous voulez faire? Tracez ensemble une liste des sujets dont le groupe aimerait traiter.

2- Reformulez quelques interventions faites par les autres personnes. Dites dans vos propres mots ce que les autres viennent de dire pour leur prouver que vous les comprenez, et pour vérifier aussi si vous les avez bien compris.

3- Faites des liens entre les différentes interventions énoncées par deux ou trois des personnes présentes. De cette façon, vous les valorisez, vous leur donnez un rôle plus actif, et vous favorisez la créativité.

4- Résumez les principales idées émises par les autres au cours de la réunion pour donner aux participants la possibilité de retenir l'essentiel. Mais surtout, créez un climat d'entente afin que chacun sache quel est le prochain pas à faire. Est-ce que ce sera une rencontre, une initiative de quelqu'un, une responsabilité assumée par une autre personne?

5- Favorisez la participation de ceux qui, en temps normal, gardent le silence. Tenez compte aussi des personnes qui parlent peu ou à mots couverts. Posez des questions aux gens qui s'expriment sans paroles, soit à cause de leur timidité ou de leur diplomatie.

6- Aidez ceux qui parlent beaucoup à prendre moins de place, pour donner la chance aux autres de pouvoir s'exprimer. Suggérez une idée ou une activité à ceux qui dérangent en raison de leurs questions, de leurs actions ou de leurs affirmations.

7- Rappelez le nombre de minutes passées et futures. Prouvez que vous tenez à être efficace, que vous voulez atteindre des résultats, et que vous respectez le temps de toutes les personnes présentes.

8- Proposez une façon de donner la parole, ainsi vous évitez que plusieurs parlent en même temps sur plusieurs sujets, en tenant des mini-réunions à l'intérieur de la grande réunion.

9- Accueillez chaque intervention avec attention. Pratiquez l'écoute active. Prêtez toute votre attention et ouvrez grandes vos oreilles pour le verbal et gardez vos yeux ouverts pour percervoir le non-verbal. Ne quittez pas la réunion, sauf en cas d'urgence: par conséquent vous entendrez tout, vous verrez tout, vous saurez tout.

10- Sachez détendre l'atmosphère avec humour et créativité. Soyez fier d'être là. Rappelez des faits vécus. Créez de la joie. Racontez une petite histoire drôle, courte, convenable. Ainsi, vous encouragez des liens de complicité et d'amitié.

11- Clarifiez les oppositions, les désaccords. N'ayez pas peur d'une conversation rude et musclée. Posez des questions. Soyez franc tout en étant diplomate. Regardez dans les yeux. Soyez brave. Soyez calme.

12- Verbalisez et permettez aussi à chacun de dire ce qu'il ressent. Soyez ouvert. Dites souvent: «Je vous comprends». Souriez.

Lors d'une réunion ou d'une table ronde, que vous soyez participant ou animateur, vous pouvez changer quelque chose par votre présence, vos paroles, vos silences, votre attitude, votre comportement. Soyez actif. Faites avancer les choses. Visez l'efficacité et l'harmonie. Pensez en même temps au facteur humain et au résultat. Vous êtes unique. Plongez selon votre style.

La pédagogie, c'est ça!

Il y a quelque temps, je recevais un appel téléphonique d'un collègue me demandant de juger la correction d'une question d'examen. Il était sur le point d'attribuer un zéro à un étudiant pour sa réponse à une question de physique. Pour sa part, l'étudiant prétendait qu'il devait recevoir la totalité des points prévus si le «système» n'était pas établi contre lui. L'enseignant et l'étudiant s'étant mis d'accord pour soumettre ce cas à un arbitre impartial, je fus choisi.

Je me suis donc rendu au bureau de mon collègue et j'ai lu la question d'examen: «Montrez comment il est possible de déterminer la hauteur d'un grand édifice à l'aide d'un baromètre.»

L'étudiant répondit: «Montez le baromètre sur le toit de l'édifice, attachez-y une longue corde, laissez descendre le baromètre jusqu'à la rue et remontez-le ensuite en mesurant la longueur de la corde. La longueur de la corde donne la hauteur de l'édifice.»

Je fis remarquer que l'étudiant avait un argument assez plausible pour qu'on lui accorde la totalité des points car il avait répondu complètement et correctement à la question posée. Mais, par contre, si une telle note lui était attribuée, cela le placerait en position privilégiée par rapport aux autres, ce que la réponse donnée ne pouvait justifier. Je suggérai que l'étudiant ait une autre occasion de répondre à cette même question. Je ne fus pas surpris de l'accord de mon collègue, mais je fus étonné d'une position similaire de la part de l'étudiant.

J'accordai six minutes à l'étudiant pour qu'il puisse répondre à la question, en l'avisant que la réponse devait démontrer une certaine connaissance de la physique.

Cinq minutes s'étaient écoulées et il n'avait rien écrit. Je lui demandai alors s'il voulait abandonner, mais il répondit:

«Non!» Il avait plusieurs réponses à ce problème et tentait seulement de déterminer laquelle serait la meilleure. Je m'excusai et lui demandai de continuer. Dans la minute qui suivit, il griffonna cette réponse: «Portez le baromètre sur le toit de l'édifice et penchez-vous sur le bord du toit; laissez tomber le baromètre et mesurez le temps de sa chute avec un chronomètre. Calculez ensuite la hauteur de l'édifice en employant la formule $S = at^2$.»

Cette fois je demandai à mon collègue s'il voulait abandonner. Il concéda et accorda à l'étudiant la presque totalité des points.

Je me préparai à sortir, mais l'étudiant me retint en me disant qu'il avait d'autres réponses à ce problème. Alors je les lui demandai. «Ah oui!», dit l'étudiant. «Il y a plusieurs façons de déterminer la hauteur d'un grand édifice à l'aide d'un baromètre. On pourrait, par exemple, sortir le baromètre lors d'une journée ensoleillée, mesurer la hauteur du baromètre, la longueur de son ombre et la longueur de l'ombre de l'édifice, puis en employant une simple proportion, on pourrait calculer la hauteur de l'édifice.

«Très bien», répondis-je. «Et les autres?

– Oui», dit-il. «Il existe une méthode de mesure très fondamentale que vous aimerez. Selon cette méthode, vous prenez le baromètre et montez les escaliers. En montant, vous marquez la longueur du baromètre le long du mur. Ensuite, vous comptez le nombre de marques, et vous obtenez la hauteur de l'édifice en unités barométriques. C'est là une méthode très directe.

«Naturellement, si vous voulez une méthode plus sophistiquée, vous pouvez attacher le baromètre à un bout de corde, le balancer comme un pendule et déterminer la valeur «g» au niveau de la rue et au niveau du toit de l'édifice. La hauteur de l'édifice peut, en principe, être calculée selon la différence entre les deux valeurs obtenues.»

Finalement, il conclut qu'il existait plusieurs façons de résoudre le problème autres que celles mentionnées auparavant.

«Probablement la meilleure», dit-il, «serait de prendre le baromètre au sous-sol et de frapper à la porte du concierge. Quand ce dernier répond, vous lui proposez ceci: «Monsieur le concierge, j'ai ici un excellent baromètre. Si vous me dites quelle est la la hauteur de cet édifice, je vous donnerai ce baromètre.»

À ce moment, j'ai demandé à l'étudiant s'il connaissait la réponse conventionnelle. À cette question, il admit que oui, mais rétorqua qu'il en avait marre de tous ces enseignants d'écoles secondaires et de collèges qui tentent de lui enseigner comment penser, comment employer la méthode scientifique, comment explorer les profondeurs de la logique du sujet à l'étude et ce, d'une façon pédante, comme c'est souvent le fait dans la mathématique nouvelle, plutôt que de lui montrer la structure même du sujet traité

De retour à mon bureau, je réfléchis longtemps à cet étudiant. Mieux que tous les rapports sophistiqués que j'avais lus, il venait de m'enseigner la vraie pédagogie, celle qui colle à la réalité. Avec de tels jeunes, je ne crains pas l'avenir.

Alexandre Calandra
Université de Washington
St. Louis, Missouri
Professeur invité par l'Université de Montréal

Morale de l'histoire:
Les idées les plus simples
sont souvent les meilleures!

Vendez plus! Vendez mieux!

Êtes-vous en affaires?

Vendez-vous des piscines? Des portes-patio? Des armoires de cuisine? Des revêtements de plancher?

Il se peut que vous soyez rempli de talents, et que vous vendiez de bons produits, mais ça ne vaudra pas deux sous tant que vous ne pourrez pas faire connaître aux autres vos multiples talents et vos bons produits!

Lorsque vous cherchez à vendre vos idées, ce sont les autres qui sont votre marché. Votre expertise est votre façon d'amener vos idées sur le marché. Analysez la vie de tous les grands personnages de l'histoire et vous trouverez que leur principale qualité c'était la capacité de bien communiquer leurs idées.

Si vous aviez à développer une seule qualité pour mieux réussir, ce serait d'apprendre à mieux vous exprimer. Exprimez-vous! Exprimez vos idées! Exprimez vos sentiments! Combien de fois vous êtes-vous dit: *«Ah! Si je pouvais mieux m'exprimer moi-même!»* Pratiquez-vous! Parlez aux gens, verbalisez vos états d'âme, discourez sur toutes sortes de choses. Communiquez vos idées, vos émotions, vos sentiments.

Mais l'expression, c'est encore plus que la capacité de parler. Thomas Edison s'est exprimé par l'invention, William Shakespeare par l'écriture et Wolfang Amadeus Mozart par la musique.

Que ce soit en parlant ou en écrivant, en étant comédien ou homme d'affaires, l'expression, c'est la capacité de créer une impression. Par exemple: si vous voulez mieux réussir dans l'immobilier, augmentez le nombre de visites auprès des professionnels de la vente de propriétés. Multipliez vos contacts auprès d'acheteurs de biens immobiliers. Soyez à l'affût des bonnes occasions.

Dites souvent que vous êtes intéressé à toutes sortes de transactions immobilières!

Si personne ne vous connaît, ne vous entend, ne vous voit, ne sent ou ne perçoit votre présence, c'est tout comme si vous n'existiez pas dans le monde des affaires. Pour traverser la rue il ne faut pas rester sur le trottoir, il faut traverser. Apprenez à vous exprimer!

Allez vers les autres! Faites-vous connaître!

Le multiculturalisme

Comme dans la plupart des pays du monde, notre société devient de plus en plus multiculturelle en accueillant avec humanisme des citoyens venus de différents coins de notre Terre, et ainsi, un pourcentage grandissant d'acheteurs et de professionnels de la vente possèdent des besoins différents puisque leurs coutumes, leurs usages et leurs valeurs sont différentes des nôtres. Voilà pourquoi, il est important d'en tenir compte avec ouverture d'esprit si vous voulez devenir un professionnel de la vente capable de vivre et de grandir avec le multiculturalisme:

1- Devenez apte à mieux communiquer avec les néo-Québécois (ou les néo-Français, si vous êtes en France). Soyez en mesure d'encoder vos messages de telle sorte que vos récepteurs puissent bien les décoder. Par exemple, si vous leur dites: «Vous avez compris?», ils peuvent répondre: «Oui», car ils ont interprété votre question comme si vous leur demandiez: «Vous avez entendu?». Par ailleurs, vous pensez peut-être qu'ils ont compris car ils ne posent pas de questions, mais ils ne posent peut-être pas de questions parce qu'ils n'ont pas compris.

2- Tenez compte de tous les détails. On dit que, lors d'une conversation, les mots comptent pour 15% du message, le ton pour 35%, et le langage corporel pour 50%. Insistez donc pour obtenir une entrevue de visu, et soyez attentif à bien observer tous les sens contenus dans le ton, les gestes et le visage.

3- Connaissez bien les besoins de votre client. Ne préjugez jamais en pensant, par exemple, qu'il a besoin d'une grande maison parce qu'il a beaucoup d'enfants.

4- Vérifiez le processus de décision. Demandez à rencontrer, si possible, la personne qui aura le dernier mot: dans certaines familles, c'est peut-être le grand-père ou la grand-mère qui décide.

5- Respectez les coutumes de vos clients. La politesse, l'étiquette, peuvent être des formalités importantes. Plusieurs néo-Québécois de langue française ont besoin de garder une certaine distance et se formalisent d'un tutoiement plutôt que d'un vouvoiement. Respectez cette réserve et, petit à petit, ils en viendront à utiliser le «tu» au lieu du «vous». En fait, ils souhaitent tout simplement bâtir une relation solide auparavant. Par exemple, le fait de regarder directement dans les yeux n'est possible, pour plusieurs, qu'après une période où chacun a apprivoisé l'autre.

6- Prenez le temps de négocier. Ainsi, par exemple, certains citoyens du Moyen-Orient ont une tradition qui les amène à de multiples propositions en vue de faire baisser le prix. Le professionnel de la vente, dans ces conditions, a donc avantage à être extrêmement patient et tolérant.

7- Osez aller visiter, avec respect, des familles et des associations néo-québécoises. Apprenez quelques mots de leur langue maternelle. Découvrez un peu leur histoire. Aidez-les à mieux connaître le Québec. Faites-vous des amis, ils deviendront peut-être des clients.

La société québécoise ne pourra jamais revenir en arrière: nous avons le choix de considérer le multiculturalisme comme une source d'anxiété et de frustration, ou bien, au contraire, comme une source enrichissante de culture et de civilisation.

Le passé, le présent, le futur des clients

Par rapport au temps et à la durée, nous pouvons dire qu'il y a trois types de clients intéressés à l'achat de maisons. D'abord, le client rationnel, qui s'intéresse surtout à son passé et à ses souvenirs: il cherche à analyser son passé, aussi est-il moins attiré par le modernisme et le clinquant. Il achète selon sa raison. Il a une préférence pour les meubles antiques, les maisons anciennes bâties avec de vieilles pierres. Il parle de ce qu'il a fait, de ce qu'il a dit, de ce qu'il a acheté. Il est tranquille.

Ensuite, nous retrouvons le client toujours jeune. Enfant, on nous a inculqué qu'il fallait vivre le présent et, c'est un fait que pour être vraiment heureux dans la vie, nous devons vivre notre instant présent. En fait, la personne qui vit bien son instant présent vit vraiment. Cette personne est toujours ici, présente, avec toutes les cellules de son cerveau, toutes les fibres de son cœur et toutes les tripes de son corps. C'est le client qui achète selon ses impulsions. Il choisit des maisons de style contemporain.

Enfin, il y a la catégorie des clients qui vivent pour plus tard. Pour eux, le seul moment qui existe, c'est le futur. Ils aiment la mode, le nouveau, les inventions récentes. Ils achètent des maisons de style avant-gardiste, avec des «gadgets» que les autres n'ont pas. Ils aiment épater et donner l'impression d'être excentriques.

Leur façon d'envisager la vie, c'est le rêve, c'est demain, c'est plus tard, c'est ailleurs, c'est une vie en imagination. Ce sont des gens qui ont complètement oublié le passé, qui oublient continuellement le présent, et qui courent en pensant au futur, à toutes les choses merveilleuses qu'ils feront ou qu'ils posséderont. Leur vie est basée sur l'espoir et, si vous voulez mieux réussir dans la vente, vous devez tenir compte que beaucoup de gens achètent pour surmonter l'anxiété, le stress, l'angoisse, la peur et l'insécurité.

Adaptez-vous à vos clients. Étudiez leurs besoins.

Et souvenez-vous: les clients n'achètent pas pour vos raisons, mais pour leurs raisons; ils n'achètent pas un produit, mais ce que le produit fait pour eux; ils n'aiment pas se faire vendre, ils veulent se faire aider à acheter!

Les cinq décisions du client!

Lorsqu'un client est sur le point d'acheter un produit ou un service qu'il considère intéressant, que ce soit une automobile, un vêtement ou même un bien immobilier, il doit prendre cinq décisions, consciemment ou inconsciemment.

Premièrement, le besoin. Si je suis un client, je me dis: « Est-ce que j'ai besoin de telle chose? Est-ce que j'ai besoin de tel service? » C'est à vous de vous assurer, en posant des questions, si le client a vraiment besoin de vos services. C'est à vous de vérifier si, par exemple, la personne veut vraiment vendre ou veut vraiment acheter, ou si c'est une personne qui fait des sondages.

Deuxièmement, vos services. Votre client peut se demander s'il a besoin de vos services. Est-ce que vous êtes en mesure de lui prouver par vos paroles, vos écrits et vos articles en montre, que vous pouvez lui rendre service, que vous pouvez l'aider à régler un problème, que vous pouvez l'aider à se sentir plus sûr et plus avantagé s'il demande et obtient votre coopération.

Troisièmement, votre entreprise. Votre client se demande si vous êtes l'entreprise à qui il doit vraiment s'adresser. Il peut vouloir vendre plutôt que d'acheter. Il peut aussi choisir vos services. Mais a-t-il confiance en votre entreprise? Il peut trouver que d'autres entreprises jouissent d'une meilleure réputation et ont plus d'expérience. Prouvez-lui que votre entreprise est solide, sérieuse, reconnue et unique.

Quatrièmement, le bon moment. Votre client est-il vraiment décidé à acheter vos services actuellement ou sera-t-il davantage prêt dans deux ans, ou peut-être même, cinq ans? Allez-vous attendre toutes ces années pour enfin pouvoir toucher vos honoraires? La décision doit se prendre maintenant.

Cinquièmement, le prix. Le client doit décider si les prix de vos produits et services sont convenables et raisonnables. Est-ce qu'il est prêt à investir de l'argent pour pouvoir profiter de la jouissance de vos propriétés, de vos articles ou de vos services? C'est encore une fois à vous de lui démontrer que vos honoraires sont réalistes et raisonnables, que le prix est compétitif et correspond aux normes actuelles du marché à cet endroit.

Aidez votre client à prendre ses décisions et à créer des solutions à ses problèmes!

Les cinq sortes de clients

Lorsque vous ferez votre marketing personnel et, que vous commencerez à transformer des personnes susceptibles d'être intéressées en clients potentiels et des clients potentiels en clients, vous découvrirez que vous pourrez probablement classer vos clients en cinq catégories:

1- Le bon moment: Ce sont les clients qui viendront à vous, non parce que vous êtes une personne bien,ou que vous travaillez avec efficacité, mais parce que vous travaillez régulièrement, beau temps, mauvais temps, que vous faites de la prospection avec système et méthode, et que, selon la loi de la moyenne, vous rencontrez de temps à autre quelqu'un de décidé, et qui est prêt à vous confier sa clientèle.

2- La bonne personne: C'est le client qui voit en vous la bonne personne digne de confiance, compréhensive, humaine, chaleureuse, dévouée, philanthrope. La personne capable de se soucier du bien-être de sa famille. C'est le client émotif qui achète un peu par logique mais beaucoup par émotion et qui va accepter de payer plus cher car il a confiance en vous et sent que vous êtes attaché à l'aspect humain de la transaction.

3- Le bon investisseur: C'est le client qui planifie ses achats et qui recherche non pas le bon professionnel de la vente ni le bon fournisseur, mais le bon investissement: un investissement rentable. Il cherche soit un terrain, un immeuble résidentiel à revenus, bref une propriété où il fera un placement qui lui rapportera non seulement un revenu mais encore et surtout un profit de capital. C'est habituellement un client dur, difficile, exigeant mais qui sait où il va et qui peut vous apprendre beaucoup de choses.

4- Le bon fournisseur: C'est le client qui recherche le bon fournisseur dont il a déjà entendu parler, qui a bonne renommée selon lui, et qui offre une garantie importante pour que le contrat se fasse à sa satisfaction. C'est le client qui sait qu'il y a plusieurs fournisseurs mais qui croit que celui qu'il connaît le mieux, c'est le bon.

5- Le bon consommateur: C'est le client qui cherche en même temps l'aspect humain et l'aspect lucratif d'une transaction. Il s'informe, il s'instruit, il lit les magazines comme les revues *Justice, Protégez-vous* et le plus d'articles possible dans les journaux de façon à éviter des erreurs et à profiter des bonnes occasions. C'est le client qui pose beaucoup de questions, qui dialogue et qui vous accorde sa confiance à plusieurs reprises s'il sent que vous avez le souci du consommateur et le souci de vraiment rendre service d'une façon professionnelle, avec honnêteté et intégrité.

Est-ce que vous croyez rencontrer des clients parmi ces cinq catégories? Je crois que oui! Je crois que peu importe votre âge, votre occupation, votre scolarité, votre pays d'origine, votre expérience de vie, vous êtes en mesure de vous trouver des clients parmi la liste de 400 noms que vous avez dressée! Mais commencez! Faites un pas et motivez-vous, maintenez-vous en action vers des buts que vous avez choisis!

***L'important, ce n'est pas ce que l'on sait,
c'est ce que l'on fait avec ce que l'on sait!***

Le marketing d'un professionnel!

Vous souvenez-vous d'avoir assisté à des réunions où seulement quelques personnes parlent tandis que les autres écoutent ou s'expriment très peu.

Ceux qui parlent le plus sont en général les «leaders» naturels et provoquent les prises de décisions lors de la réunion. Ils sont maîtres dans l'art de vendre leurs idées.

Il se peut fort bien que les personnes qui parlent moins ont plus de connaissances, un meilleur jugement, et des idées plus valables mais tout cela ne sert pas vraiment car elles ne s'expriment pas.

Alors, parlez! Dans une réunion, parlez! Occupez votre espace tout en respectant l'espace des autres. Lorsqu'il y a deux ou plusieurs personnes ensemble, quelque chose d'invisible se promène comme le disque au hockey ou la balle au baseball, c'est le pouvoir! Le pouvoir appartient à la personne qui le réclame, à la personne qui parle le mieux, qui domine le groupe et qui fait partager ses idées. Alors, parlez! Soyez entendu!

Levez-vous s'il le faut! Prenez le micro si vous en avez besoin. Et, même si vous êtes un étranger, parlez! Vous apporterez votre pierre à la construction de cette réunion. Vous provoquerez des échanges d'idées et les autres sauront qui vous êtes et surtout que vous êtes vivant et que vous pouvez être utile. Vous rappelez-vous avoir déjà quitté une réunion en disant: «J'aurais dû dire ça, j'aurais dû parler, j'aurais dû m'exprimer», et vous avez manqué l'occasion, vous avez pensé que votre voix ne serait pas assez forte, que les gens ne comprendraient pas et que vous seriez peut-être ridicule à cause de votre accent.

Mais, c'est une erreur. N'assistez jamais à une réunion sans parler, sans donner votre point de vue, sans poser une question!

Ce sera un exercice qui fera votre publicité, qui vous fera connaître, qui contribuera à votre marketing personnel.

Et dites votre nom à voix haute et clairement. Répétez-le pour que plusieurs s'en souviennent. Présentez votre carte de visite. Ayez l'audace de dire ce que vous faites dans la vie.

Vous serez peut-être élu membre d'un comité!
Acceptez et faites de votre mieux.
Parlez et vendez vos idées!
Vous rendrez service:
vous pouvez jouer un rôle social important,
à vous de jouer!

La conclusion: comment clore la vente?

Lorsque vous êtes certain que votre client a pris les cinq décisions d'acheter, il devrait normalement signer et ne pas hésiter à confirmer par un acte écrit qu'il accepte d'acheter. S'il ne le fait pas, c'est qu'il garde encore des objections cachées.

Voici sept techniques pour en arriver à provoquer une décision d'acheter:

1- Le choix entre deux options. Par exemple, s'il s'agit d'une résidence: «Prenez-vous la maison avec deux chambres à coucher ou trois chambres à coucher?», «Prenez-vous la maison avec la salle de bain rouge ou bleue?», Puis-je vous rencontrer mardi matin ou mardi après-midi?» Vous pouvez pratiquer cette technique, même dans votre famille. Par exemple, à l'un de vos enfants, vous pouvez dire: «Est-ce que tu fais le ménage de ta chambre immédiatement ou dans une demi-heure?», vous pouvez demander à votre conjoint: «Ce soir, est-ce que nous allons au restaurant français ou au restaurant italien?»

2- «Est-ce que je peux noter ça?» Lorsque vous êtes avec votre client, vous devriez toujours avoir un bloc-notes et un crayon; s'il vous donne un détail qui peut vous être utile, demandez-lui: «Est-ce que je peux noter ça?» S'il répond non, cela signifie qu'il n'est pas vraiment intéressé, s'il répond oui, il vous dit en quelque sorte qu'il commence à s'engager.

3- L'erreur volontaire: vous utilisez l'une des phrases que vous avez notée et vous vous trompez volontairement pour vérifier si le client s'intéresse et pour découvrir davantage ses besoins. Par exemple: si votre client a dit auparavant qu'il passait tout le mois de juin en Floride, faites une erreur volontaire en disant: «J'ai une maison à vous faire visiter le

5 juin!», et si le client laisse passer votre remarque, cela veut dire qu'il n'est pas intéressé; s'il saisit votre erreur et vous reprend: «Je vous ai dit tantôt que je ne peux pas y aller en juin!», il s'engage et s'intéresse.

4- Le silence: une fois que vous avez posé une question si petite soit-elle, ne parlez plus et attendez la réponse en silence car habituellement le premier des deux qui parle perd. Vous voulez gagner l'occasion de lui rendre service. Alors, si vous lui demandez: «Prenez-vous la maison à deux chambres ou à trois chambres?, attendez la réponse, ne parlez plus. Si le silence vous semble trop long, voire interminable, vous pouvez lui dire: «Ma grand-mère avait un proverbe: «Qui ne dit mot, consent!» Dites-lui en lui tendant votre crayon: «Dois-je comprendre que vous voulez signer?»

5- La vente «renversée»: vous avez tenté plusieurs fois de conclure la vente sans succès. Donnez l'impression que vous abandonnez. Dites à la personne: «Voulez-vous y penser jusqu'à demain? Bravo! Je vous félicite et je reviendrai!» Vous prenez vos documents, vous les placez dans votre mallette, et vous vous levez en faisant quelques pas vers la porte. Puis vous vous retournez tout à coup en disant: «Ah! J'oubliais de...» Vous dites alors quelque chose d'inattendu à la personne. Vous lui remettez un document ou un cadeau, de façon à ce qu'elle puisse vous poser une question ou qu'elle ait une réaction favorable.

6- La colère volontaire: cela fait une heure que vous causez, la relation est excellente, beaucoup d'humour, d'échanges de sourires et de taquineries. À ce moment-là, vous vous levez et d'un ton mi-sérieux, mi-badin, vous simulez une colère, vous révisez les cinq décisions dont on a parlé dans un chapitre précédent (le besoin, les services, l'entreprise, le temps et le prix), et vous insistez pour obtenir une réponse.

Votre mise en scène peut vous amener à dire quelque chose comme ceci: «Écoutez, mes amis, vous m'avez dit tout à l'heure que vous aviez vraiment besoin de vendre votre maison, est-ce vrai? Vous avez admis que mes services étaient excellents et que, si cela vous amenait à vendre rapidement votre maison, vous seriez contents, est-ce bien vrai? Vous avez accepté l'idée que mon entreprise était excellente et qu'elle pouvait vraiment assurer la parfaite conclusion de la vente, est-ce exact? Vous m'avez dit que c'est maintenant que vous vouliez vendre pas dans cinq ans, est-ce toujours votre souhait? Vous m'avez dit aussi que vous acceptiez le taux d'honoraires et le prix que nous avons établi pour votre maison, vous ai-je bien compris? Si tout vous convient pourquoi ne pas signer aujourd'hui, qu'est-ce qui vous en empêche?» À ce moment-là, vous venez de parler assez fort et avec fermeté, en regardant dans les yeux les deux ou trois personnes qui sont devant vous. En temps normal, une des personnes devrait se sentir poussée à vous faire une confidence et à vous dire quelle est la raison qui les empêche de continuer.

7- La pression: à un moment bien précis de l'entrevue de vente si vous agissez comme une personne convaincue de sa profession, de l'utilité de ses services, de son intégrité, que le client est bien qualifié, qu'il a besoin de vos services et qu'il a les moyens de les payer, vous parlerez avec confiance et avec enthousiasme. Il se peut que l'une des personnes vous dise: «Écoutez, il me semble que vous exercez une certaine pression.» Quoi répondre? Selon moi, vous devez être sincère et dire: «Oui, j'ai l'air de vous presser, voulez-vous savoir pourquoi? Habituellement, la personne répondra: «Oui, oui, j'aimerais savoir pourquoi?» Vous avez obtenu deux «oui» consécutifs et puisque la vente c'est un grand «OUI», vous avez besoin de beaucoup de petits «oui» pour vous en rapprocher progressivement, un peu comme tous les pas que nous devons faire pour apprivoiser un écureuil.

   Vous expliquez que vous êtes désireux de rendre service rapidement car vous connaissez son désir de vendre vite, mais si elle hésite trop longtemps, elle risque de manquer une offre faite par quelqu'un d'autre sur le point de se décider dans un autre endroit. Si c'est pour une offre d'achat, vous pouvez dire que vous cherchez à exercer un peu de pression car d'autres offres peuvent être faites sur la propriété tant désirée. Si c'est une proposition à accepter, vous pouvez dire également que vous faites de la pression parce que la personne qui vient de faire l'offre a besoin d'une réponse rapidement, sinon elle fera une offre concernant une autre propriété.

Et dans cette technique, une dernière sous-technique: demandez de passer la commande comme si vous ordonniez à la personne d'acheter en lui disant: «Écoutez, faites-moi confiance, allez-y, plongez, prenez la décision, et tout ira très bien!» ou, soyez plus ferme: «Pourquoi ne pas signer?»

Et si vous ne concluez pas la vente, ne fermez pas la porte.

Agent secret

Si vous déménagez, ne soyez pas un agent secret!

Ne soyez pas un agent secret, arrangez-vous pour que tout le monde sache que vous êtes dans la vente. Pensez, parlez, agissez toujours en fonction de votre marketing personnel.

Dans la vie moderne, de plus en plus de personnes déménagent, soit pour saisir une occasion d'avancement unique, soit parce que leur conjoint doit déménager pour une raison ou une autre. C'est important que cette expérience soit enrichissante à tout point de vue.

Cependant, les services rendus par un professionnel de la vente ne sont pas limités à une ville ou une région. La profession de la vente peut être exercée partout où des êtres humains font des transactions. La nature humaine est sensiblement la même partout.

Informez-vous pour avoir les renseignements concernant la population, les écoles, l'emploi, et abonnez-vous à des journaux locaux pour connaître d'avance le marché de l'immobilier.

Visitez d'avance la ville où vous voulez vous rendre. Rencontrez des entreprises; analysez les avantages de chaque bureau, observez les performances, étudiez le marché, et vérifiez si les objectifs de chaque entreprise sont les mêmes que les vôtres et demandez-vous jusqu'à quel point vous serez à l'aise avec le directeur commercial.

Dans cette nouvelle ville, trouvez-vous une résidence, une adresse; commandez votre service téléphonique, demandez vos nouvelles cartes professionnelles et, dès que vous avez déménagé, entamez votre prospection, et commencez immédiatement à faire connaître, soit dans le journal ou par la poste, que vous êtes un nouveau professionnel de la vente à cet endroit. Rencontrez des spécialistes de votre domaine: des prêteurs, des directeurs de banques ou de caisses populaires, des notaires, des évaluateurs, des constructeurs, des courtiers d'assurances. Dites-leur que vous êtes nouveau dans la région et que vous cherchez à connaître comment se déroulent les transactions dans leur localité. Ils seront contents de passer quelque temps avec vous, car cela peut leur rapporter des affaires. N'oubliez pas de les remercier.

Dans votre nouveau bureau, rencontrez une personne très importante: la secrétaire. Elle vous expliquera les modes d'action, les procédures, les systèmes, les méthodes, et les habitudes. Ensuite, ne restez pas cloué à votre pupitre, devenez volontaire pour aider les autres dans l'agence. Allez visiter des clients potentiels. Offrez-vous pour remplacer des professionnels de la vente. Demandez à vos collègues si vous pouvez les accompagner à des rendez-vous comme observateur silencieux, ils chercheront à être meilleurs et vous apprendrez de nouvelles techniques. Faites l'inventaire des produits à vendre chez ce nouveau fournisseur.

Lorsque vous déménagez, faites comme si vous recommenciez à nouveau, comme si vous repartiez à zéro. Faites-vous une liste de 400 noms. Décidez de leur poster régulièrement chaque saison une lettre d'information pour leur rappeler que vous êtes toujours dans la profession. Choisissez-vous un médecin, un dentiste, un agent d'assurances, un comptable, un banquier, un coiffeur, et même si vous n'avez pas besoin de leurs services immédiatement, dites-leur que vous êtes dans la vente et entretenez des relations avec ces gens importants, car ils sont les centres d'influence qui peuvent vous donner des noms de personnes intéressantes pour vous.

Si vous êtes un membre actif d'un club social ou d'une association, redevenez membre dans la nouvelle ville où vous déménagez. Vous y ferez de nouveaux contacts tout en rendant service.

Et surtout, n'oubliez pas les anciens clients et tous les professionnels de la vente avec lesquels vous étiez en relation dans le passé. Incluez-les sur votre liste d'envoi, et envoyez-leur une lettre pour leur dire que vous êtes encore prêt à rendre service dans la nouvelle ville où vous venez de déménager. Ne les laissez pas vous oublier.

Ne soyez pas un agent secret. Arrangez-vous pour que tout le monde sache que vous êtes dans la vente. Pensez, parlez, agissez toujours en fonction de votre marketing personnel.

Soyez un professionnel de la vente spécial!
Vous êtes unique!
Cultivez votre style!

Et après?
(Perspectives professionnelles)

Après quelques années d'expérience, si vous avez des talents de gestionnaire, vous pouvez envisager trois options:

1- Travailler comme directeur commercial. Cependant, ce ne sont pas les bons professionnels de la vente qui font automatiquement de bons directeurs. Comme au hockey, ce n'est pas nécessairement le meilleur athlète qui fait le meilleur entraîneur. Pensez et réfléchissez!

2- Posséder votre propre bureau. Vous suivez donc la réglementation de votre gouvernement et vous vous préparez à vous lancer à votre compte. Vous pouvez soit acheter une franchise, louer ou acheter un bureau existant, ou commencer le vôtre.

Et supposons que vous découvriez que vous n'êtes pas entièrement passionné par la profession de la vente, que pouvez-vous faire? Ce que vous avez acquis comme connaissances et expériences vous permettrait de trouver une fonction dans un domaine connexe.

L'important,
ce n'est pas d'avoir un bon jeu,
c'est de bien jouer celui qu'on a!

Survivre et grandir

Vous êtes dans la vente. Vous n'avez pas d'assurance-salaire. Vous n'avez pas de sécurité d'emploi. Voici quelques idées:

1- Prenez soin de votre temps, organisez-le. Ayez un agenda et tenez-vous occupé. La vraie motivation, nous en avons parlé, c'est l'art de se maintenir en action, encore en action, et toujours en action, vers des buts que l'on s'est choisis. La pire source de découragement, c'est de ne rien faire. Quand on ne fait rien pendant longtemps, on devient déprimé pendant trop longtemps. Prenez soin de votre temps!

2- Prenez soin de votre argent. Ayez toujours devant vous une réserve qui peut vous suffire pour 15 semaines. Ayez un petit budget. Vivez modérément. Préparez-vous à passer à travers les hauts et les bas de la vie. Car la vie économique a des cycles qui influencent le rendement d'une personne, son moral, son enthousiasme et son efficacité.

3- Prenez soin de votre santé. Accordez-vous des vacances, des moments de repos, des journées de congé. Évitez l'épuisement professionnel. Mangez bien. Dormez bien. Prenez l'air. Cultivez le rire, l'humour, la bonne humeur, un passe-temps, des loisirs pour jouer et vous détendre.

4- Prenez soin de votre famille, vos enfants, votre conjoint, vos parents, vos amis et vos émotions.

5- Prenez soin de votre créativité. Aimez les arts, la musique, la peinture, le théâtre, le cinéma. Faites des choix valorisants.

6- Prenez soin de votre logique. Étudiez. Suivez des cours. Lisez des livres. Abonnez-vous à des magazines. Exercez votre mémoire.

7- Prenez soin de votre intuition et de votre paix intérieure. Priez et méditez. La prière, c'est demander quelque chose à

Dieu. La méditation, c'est écouter Ses réponses. Priez comme si tout dépendait de Dieu et ensuite, travaillez comme si tout dépendait de vous.

Et vivez pleinement votre vie,
un instant à la fois,
dans l'instant présent!

Le professionnel de la vente, son formateur et son autonomie!

La vente attire des personnes qui aiment l'autonomie, qui visent l'indépendance financière et qui acceptent de courir des risques en vue d'atteindre leurs objectifs. Même si cet esprit d'entreprise est une grande force de motivation des gens vers la réussite, il peut quelquefois occasionner des conflits entre le directeur et le nouveau professionnel de la vente.

L'une des clés du succès pour un directeur, c'est d'encourager le débutant à faire preuve de créativité tout en le sensibilisant à la nécessité de rentabiliser le bureau d'une façon efficace et harmonieuse. Un directeur sait que quand des personnes choisissent de réorienter leur carrière à leur âge, ils prennent souvent la décision de fonder une très petite entreprise (T.P.E.), et ils se donnent la mission d'en assumer la présidence et la direction générale: ce sont des P.-D.G.

Ce ne sont pas des employés mais des associés. Cet associé en chef sera leur formateur qui les stimulera à plus d'un point de vue.

1- Planifier le temps: la planification de la journée, de la semaine, du mois, de l'année. Un débutant aime être secondé régulièrement dans la planification de son temps et de ses efforts. Il a besoin de sentir que toute l'équipe s'oriente définitivement selon un plan d'ensemble, sous la directive du formateur.

2- Organiser l'espace: le débutant aime être guidé dans l'organisation de son espace tant à la maison qu'au bureau, (peu importe son expérience antérieure) tout en faisant preuve d'invention, de créativité et d'innovation.

3- Déléguer les tâches: le débutant aime apprendre à déléguer, demander des services, penser, parler, et agir comme un nouveau chef d'entreprise. Il cherche à éviter le plus de conflits possible entre les autres professionnels de la vente, le personnel du secrétariat, le directeur du bureau et lui.

4- Motiver les énergies: le débutant a besoin de se motiver régulièrement. Voilà pourquoi son formateur l'encourage à lire, à réfléchir, à se maintenir en action vers des buts qu'il a choisis, à poser régulièrement des gestes qui vont l'amener à se rapprocher de ses buts, à rester en compagnie de gens optimistes, enthousiastes et constructifs. Le débutant a besoin de se fixer des objectifs élevés tout en demeurant réaliste, les deux pieds sur terre, les yeux fixés vers les étoiles. Le débutant a besoin de sentir que son directeur lui propose un programme de formation régulier pour réviser les notions de base et apprendre des idées nouvelles.

5- Contrôler les ressources: Le P.-D.G. d'une T.P.E. apprend à bien contrôler son temps, son argent et sa santé. En effet, nous ne ferions pas confiance à quelqu'un qui ne peut pas contrôler un véhicule. Nous hésiterions à monter dans un avion si le pilote ne peut pas bien contrôler son appareil. Ainsi, le débutant a besoin de sentir que son directeur contrôle son organisation, son équipe, sa propre entreprise. Le débutant a besoin de sentir qu'il peut compter sur le support de son formateur avec loyauté, discrétion et confidentialité.

Un directeur sent le besoin de grandir et d'amener ses nouveaux professionnels de la vente à grandir. Ils croîtront s'ils sentent qu'ils ont un bon formateur!

De la même façon, qu'un parti politique gagne une élection que si son adversaire la perd, ainsi, un professionnel de la vente ne se fait pas «voler» un client par un concurrent: c'est lui qui le perd car il n'a pas su le persuader! Un directeur ne se fait pas enlever un professionnel de la vente, c'est lui qui a compromis ses chances de le garder faute d'avoir pu amener le professionnel de la vente à se sentir heureux et efficace dans son groupe.

Le professionnel de la vente souhaite devenir fort et autonome grâce à l'appui de son formateur. Et, paradoxalement, plus il est fort et autonome, plus son formateur devient autonome et fort.

Est-ce que c'est vrai?

Dans les grandes choses, l'unité;
dans les petites choses, la liberté;
en toutes choses, l'amitié.

Note à un directeur commercial

Voici neuf avantages que vous retirerez en tenant régulièrement des réunions de motivation pour tous vos professionnels de la vente:

1- Chaque professionnel de la vente précisera ses ambitions, ses buts, ses objectifs, tout en développant sa sociabilité et son goût de la conversation: il pourra donc mieux se motiver personnellement.

2- Il développera le goût de l'esprit de décision, de l'initiative et du sens des responsabilités. Il saura assumer sa fonction tout en respectant la fonction des autres personnes.

3- Il cultivera la patience de façon à pouvoir éviter de s'irriter devant des clients trop exigeants. Cependant, il pourra s'il le faut, savoir dire non pour éviter que des clients abusent de lui.

4- Il acquerra un plus grand sens des réalités. Il visera une totale intégrité envers lui-même, envers son employeur et envers sa clientèle tout en maintenant un bon niveau de diplomatie, de politesse et de courtoisie.

5- Il développera sa confiance en lui-même quant aux différents événements de la vie et aussi en ses services, en son directeur, et en sa profession.

6- Il acquerra une plus grande tolérance envers toutes sortes de clients et clientes, quels que soient leur âge, leur option politique, leur nationalité, leur conviction religieuse ou leurs goûts personnels.

7- Il prendra conscience de sa sensibilité, de son émotivité et aussi de sa créativité. Il comprendra pourquoi 80% des gens achètent par émotion, et seulement 20% achètent par logique. Il pourra mieux observer et accepter ses réactions vis-à-vis sa famille, ses amis, ses collègues et sa clientèle. Il saura faire preuve d'esprit d'invention pour créer des solutions à ses problèmes de survivance et de croissance, dans sa vie personnelle et dans sa vie professionnelle.

8- Il développera le goût de la persévérance et de la ténacité, l'habitude de terminer ce qu'il commence, de soutenir son point de vue, de faire valoir des opinions, de surmonter les obstacles, sans toutefois s'entêter.

9- Il prendra l'habitude de l'enthousiasme, de la joie, de la bonne humeur tout en étant conscient des problèmes que l'environnement présente régulièrement aux êtres humains.

Ce sont là neuf attitudes que vos professionnels de la vente s'habitueront à mieux utiliser pour développer leurs aptitudes.

Et, grâce à leur leadership et leur motivation, ils comprendront que dans le monde économique, chacun doit gagner sa vie, et pour qu'une entreprise grandisse, elle doit accroître son chiffre d'affaires et réaliser des profits.

Il est vrai que l'hérédité peut favoriser certaines personnes pour réussir dans la vente et dans les affaires. Il est vrai aussi que la formation reçue dans la famille et à l'école peut influencer les talents innés. Cependant, les choix qu'une personne fait, ses efforts de volonté, peuvent l'amener à devenir capable de bien réussir dans la vente et dans les affaires.

Voilà pourquoi nous croyons que les professionnels de la vente – nantis d'une formation de compétence axée sur l'excellence donnée par un formateur efficace – obtiendront des succès appréciables dans le monde de la vente.

***Se motiver,
c'est l'art de se maintenir en action
vers des buts que l'on a choisis!***

Retournez aux sources

La plupart des directeurs commerciaux le sont devenus après avoir été d'excellents professionnels de la vente!

Cependant, plusieurs de ces femmes et hommes qui réussissaient à motiver leurs clients doutent de leurs capacités à motiver leurs professionnels de la vente.

Voilà pourquoi il est bon de se ressourcer, de retourner aux sources, ces notions de base bien connues:

1- Connaissez votre produit! Connaissez votre client potentiel! On n'achète pas un produit, on achète ce que le produit fait pour soi!

2- Montrez que vous comprenez les peurs et les frustrations de vos représentants. Allez parfois avec eux sur la route.

3- Proposez une idée qui intéresse vraiment votre professionnel de la vente: rêve-t-il de vacances, d'argent, d'auto, échangez avec lui afin de le savoir!

4- Ayez foi en vos idées! Soyez sincère et convaincu. Personne n'aime être manipulé. Amenez vos professionnels de la vente à aimer être en action vers des buts qu'ils ont choisis.

5- Anticipez les objections de vos professionnels de la vente, et démontrez-leur dans quelle mesure ils retireront plus d'avantages réels pour eux.

6- Prenez le temps de bien clore votre vente. La répétition dissout la résistance au changement. Semez des idées. Soyez patient. Vous récolterez de l'action.

7- Évitez la routine. Ajoutez de la créativité à vos réunions.

Somme toute, votre travail est une mission: l'éducation en profondeur de vos professionnels de la vente – c'est-à-dire la naissance de leur petit enfant intérieur – l'expression de leurs talents cachés, la mise en valeur de leur potentiel.

Notre meilleure amie, c'est la vie!

Supposons que votre objectif est de gagner 100 000$ en honoraires professionnels cette année. Vous gagnez en moyenne 3000$ par vente, alors vous devez conclure 33 ventes pour atteindre votre objectif. S'il vous faut 10 contacts pour obtenir une vente, vous aurez donc besoin de 330 contacts pour l'année, soit un bon contact par jour pour atteindre votre objectif. Qui pourra le faire pour vous? Vous pourrez certainement vous rapprocher de cet objectif si vous planifiez bien votre emploi du temps, un mois à la fois. Pourquoi? Car pour atteindre nos buts, nous avons besoin de temps, et le temps c'est l'étoffe avec laquelle la vie est faite. Et si vous choisissez d'être fier de votre carrière, vous choisirez de bien planifier votre vie, et la vie deviendra ainsi votre meilleure amie! Voici cinq idées:

1- Écrivez vos activités prioritaires, celles qui sont absolument nécessaires, comme les dates où vos inscriptions se terminent, les rendez-vous que vous avez déjà fixés avec des acheteurs, des professionnels de la vente ou des experts.

2- Écrivez les activités utiles et importantes comme les réunions hebdomadaires ou mensuelles de votre bureau ou de votre association, les réunions de votre communauté pour que vous puissiez rendre service tout en rencontrant des gens.

3- Les activités de prospection où vous vous donnez la permission de rencontrer avec plaisir les personnes qui sont sur votre liste de noms, ou encore les propriétaires situés sur votre ferme, ou encore les clients potentiels de votre créneau commercial, cette spécialité où vous étiez auparavant. Rappelez-vous le plus souvent possible l'importance pour vous de réaliser un bon contact chaque jour, sauf exception.

4- Accordez-vous une journée de congé par semaine pour vous récompenser. Inscrivez la date dans votre agenda, et n'acceptez aucune activité ce jour-là. Réservez ce 24 heures pour vous, pour votre santé, pour votre famille et pour votre cerveau.

5- Cultivez l'habitude de dresser chaque soir la liste de tout ce que vous voulez accomplir le lendemain. Quand vous pensez que la liste est terminée, numérotez par ordre d'importance et de priorité chaque action. Commencez!

Pour conclure, rappelons l'importance de viser à mener une vie équilibrée. Recherchez l'équilibre entre votre carrière, votre vie personnelle et votre vie familiale. Protégez votre santé. Accordez du temps à votre famille et soyez professionnel dans votre carrière. Manifestez la stabilité d'un grand navire qui ne se laisse pas retarder par les petites vagues et qui fonce prudemment à travers les grandes vagues.

Rappelez-vous que vous êtes le capitaine de votre bateau.

Notre plus grand ennemi, c'est nous-même!

Lorsque les circonstances semblent défavorables et que nous n'avons pas le vent dans les voiles, nous sommes portés à blâmer les autres ou les circonstances, et nous nous laissons tenter par le pessimisme. Lorsque nous choisissons d'être totalement responsables de nos décisions relativement à notre environnement, nous pouvons nous poser des questions en vue d'apporter un changement.

1- Est-ce que je planifie mon temps correctement? Est-ce que j'utilise mon agenda pour écrire avec logique et créativité, ce que j'aimerais faire demain, la semaine prochaine, le mois prochain? Est-ce que mes objectifs sont élevés et mon budget le plus réaliste possible?

2- Est-ce que j'organise mon espace avec efficacité? Est-ce que je dispose des objets autour de moi de façon à m'en servir rapidement?

3- Est-ce que je choisis vraiment d'être productif? Est-ce que j'agis avec rapidité? Est-ce que j'évite de remettre au lendemain des décisions difficiles ou des actions importantes? Est-ce que j'ai le courage de commencer d'abord par faire ce que je n'aime pas, de façon à ce que je puisse passer le reste de la journée à faire ce que j'aime?

4- Est-ce que je me motive souvent? Est-ce que je nourris régulièrement mon inconscient de pensées positives, de paroles constructives, de phrases optimistes? Est-ce que j'encourage mes intimes à poursuivre leur propre objectif, en posant régulièrement des actions qui les amènent à s'en rapprocher?

5- Est-ce que je choisis de toujours bien contrôler mon temps? Est-ce que j'utilise mes minutes à penser, parler et agir d'une façon positive? Est-ce que j'évite de perdre du temps avec ceux qui critiquent à propos de tout et de rien, et qui parlent comme si tout allait mal sur le plan économique, politique, social et personnel?

6- Est-ce que je contrôle mon argent? Est-ce que j'ai un budget réaliste qui me permet d'affronter les difficultés causées par le ralentissement économique? Est-ce que je profite de la baisse des cycles économiques pour me reposer, pour me ressourcer et pour bien me préparer à saisir les occasions qu'offrira la hausse du cycle économique?

7- Est-ce que je contrôle ma santé? Est-ce que je surveille mon alimentation de façon à manger assez de fruits et de légumes? Est-ce que je me donne assez de sommeil, de repos et de relaxation? Est-ce que j'évite ce qui peut intoxiquer mon corps comme trop de fumée, d'alcool, de café, de boissons gazeuses, de desserts ou de médicaments? Est-ce que je fais un minimum de culture physique chaque jour? Est-ce que je me donne la permission de faire une promenade de 20 à 30 minutes chaque jour tout en respirant profondément?

8- Est-ce que j'accepte le changement comme étant un signe et une source de progrès? Est-ce que j'accepte de quitter la sécurité de la routine pour assumer le risque du changement qui me fait croître? Est-ce que j'accepte l'idée que, lorsque je change, je suis comme un oignon qui enlève une pelure l'une après l'autre, me rapprochant ainsi de plus en plus du centre de moi-même, le plus profond de mon cœur?

9- Est-ce que je pratique l'art d'écouter? Dieu nous a donné deux oreilles, deux yeux et une bouche pour que nous puissions regarder et écouter beaucoup plus que nous devons parler? Est-ce que je sais observer les humains qui m'entourent avec empathie et compassion? Est-ce que je connais la valeur du silence dans toute activité humaine, spécialement dans la vente?

10- Est-ce que je lis chaque jour un bon volume pendant au moins 30 minutes? Est-ce que j'accepte l'idée que même si je ne suis pas responsable de la pluie, je suis garant de choisir mon parapluie et de l'ouvrir quand je veux, comme je veux?

Est-ce que je choisis de devenir mon meilleur ami?

Étudiez la motivation de votre clientèle

Les clients peuvent venir vers vous pour une ou plusieurs des raisons suivantes:

1- La constance du service: les clients viendront à vous, non parce que vous êtes une bonne personne ou que vous travaillez avec efficacité, mais parce que vous travaillez régulièrement, beau temps mauvais temps, et que vous faites de la prospection avec système et méthode. Selon la loi de la moyenne, de temps à autre, vous rencontrerez quelqu'un qui vient de se décider et qui est prêt à devenir votre client.

2- Vos qualités humaines et professionnelles: le client voit en vous la personne digne de confiance, compréhensive, humaine, chaleureuse, dévouée, philanthrope, capable de se soucier du bien-être de sa famille. C'est le client émotif qui achète un peu par logique, beaucoup par impulsion, et qui va accepter de payer plus cher parce qu'il a confiance en vous et qu'il sent que vous êtes attaché à l'aspect humain de la transaction.

3- Votre réputation: le client recherche le nom dont il a déjà entendu parler, la bonne renommée, une garantie importante de satisfaction. Il connaît plusieurs fournisseurs et croit que celui qui inspire confiance davantage, c'est vous.

4- Une bonne occasion d'investissement: le client planifie ses achats et recherche, non pas le bon vendeur, mais le bon investissement, un investissement rentable qui lui rapportera non seulement un revenu mais encore, et surtout, un profit de capital. C'est habituellement un client dur, difficile, exigeant, qui sait où il va. Il peut vous apprendre beaucoup de choses.

5- Un bon rapport qualité/prix: le client cherche en même temps l'aspect humain et l'aspect lucratif d'une transaction. Il s'informe, il s'instruit, il lit les magazines adressés aux consommateurs et le plus d'articles possible dans les journaux, de façon à éviter des erreurs et à profiter des bonnes occasions. Il aime poser beaucoup de questions, dialoguer, et il est prêt à vous accorder sa confiance à plusieurs reprises s'il sent que vous avez le souci du consommateur et le goût de vraiment rendre service avec honnêteté, intégrité et professionnalisme.

Est-ce que vous pouvez classer vos clients dans ces cinq catégories? Je pense que oui! Je crois que quels que soient votre âge, votre occupation, votre scolarité, votre pays d'origine ou votre expérience de vie, vous êtes en mesure de vous trouver des clients! Mais commencez! Faites un pas et motivez-vous, maintenez-vous en action vers des buts que vous avez choisis! L'important ce n'est pas ce que l'on sait, c'est ce que l'on fait avec ce que l'on sait!

Questionnaire

1- Pouvez-vous faire de la prospection partout?

2- Aimez-vous les gens?

3- Tenez-vous à maintenir une bonne réputation?

4- Pouvez-vous offrir une occasion d'investissement?

5- Prenez-vous soin de votre consommateur?

Améliorez le service à la clientèle

Vous êtes en affaires. Vous avez des clients qui achètent vos produits ou vos services, et vous voulez en prendre soin. C'est important, car si vous n'avez pas de client pendant un certain temps, vous ne pourrez pas demeurer en affaires.

Comme la concurrence est de plus en plus forte, surtout en période de récession, il vous faut offrir à votre clientèle un service qu'elle ne peut trouver ailleurs. Ce service doit être si efficace que vos clients et clientes préféreront attendre et même payer un peu plus cher, au lieu d'aller ailleurs chez vos concurrents.

Le rapport qualité /prix inclut le service à la clientèle, et la qualité du produit doit être associée à la qualité du service à la clientèle, pendant et après l'usage du produit ou du service que vous offrez à cette clientèle. L'avenir de votre entreprise dépend donc de votre façon d'offrir à vos clients et clientes un service qu'ils ne trouveront pas ailleurs dans le créneau de votre marché.

Voici les 10 étapes pour atteindre la qualité totale dans le service à la clientèle:

1- Reconnaissez l'importance de vos clients. Les clients ne dépendent pas de vous mais vous dépendez d'eux pour poursuivre votre réussite en affaires. Le client ne vous dérange pas, il est là pour que vous puissiez lui donner satisfaction. Il est la raison d'être de votre entreprise et de votre travail.

2- Engagez-vous personnellement à donner entière satisfaction à votre client. Sachez quand dire oui. Sachez quand dire non. Sans être son esclave, sachez être capable de faire pour lui ce que vous aimeriez qu'il fasse pour vous.

3- Accueillez chaque client comme si c'était votre meilleur client. Faites comme si c'était un invité, en souhaitant qu'il garde un bon souvenir de vous.

4- Quel que soit le nombre de personnes qui travaillent dans votre entreprise, vous êtes important car vis-à-vis un client, vous représentez TOUTE l'entreprise. Si vous sentez que quelqu'un autour de vous ne fait pas sa part, dites-le-lui gentiment, personnellement, en privé.

5- Choisissez d'accepter tout ce que vous aimez et tout ce que vous n'aimez pas dans ce travail. Ce n'est pas le problème du client si vous avez des difficultés dans votre travail ou dans votre vie privée.

6- Sachez aider votre client en lui posant des questions et surtout en écoutant attentivement ses réponses. Vous devez en arriver à découvrir chacun de ses besoins afin de lui apporter la réponse qu'il attendait pour le satisfaire.

7- Renseignez-vous auprès de vos collègues de travail si vous n'avez pas toutes les réponses. Il n'y a rien de honteux à dire que vous ne connaissez pas tout mais que vous voulez apprendre.

8- Soyez sincère, admettez vos erreurs et faites de votre mieux pour corriger ces erreurs. Ne blâmez personne, ni dans votre entreprise, ni chez votre clientèle, ni parmi vos fournisseurs. Faites votre part pour rectifier cette erreur le plus tôt possible.

9- L'image que conserve un client, c'est pour lui sa vérité. C'est donc important de vérifier ce que le client pense de vous, de votre produit, de votre service et de votre entreprise.

10- Ayez une attitude professionnelle au téléphone. Répétez souvent le nom de l'autre personne. Agissez avec discrétion. Ayez un sourire dans la voix. Prenez des notes. Soyez détendu. Sachez dire merci à votre client. Parlez directement dans le récepteur. Raccrochez doucement à la fin de l'appel. Si l'appel s'adresse à quelqu'un d'autre, offrez de prendre le message. Ne laissez jamais un client trop longtemps en attente. Soyez clair, net et précis.

Bref, votre client a besoin de se sentir compris et il souhaite que vous viviez votre travail avec conviction, avec joie et avec enthousiasme. Souvenez-vous: pour le client, vous êtes l'entreprise, et il veut savoir comment acheter de vous et en être satisfait.

Questionnaire

1- Est-ce que vous mentionnez votre nom quand vous vous présentez à vos clients?

2- Lorsque vous quittez votre poste, est-ce que vous laissez à quelqu'un un mot indiquant comment vous rejoindre?

3- Répondez-vous au téléphone avant la troisième sonnerie? Et avec le sourire?

4- Laissez-vous parler un client insatisfait afin de connaître les raisons de son insatisfaction?

Développez le sens de l'urgence

Vous êtes vivant, et la vie passe vite. Votre entreprise est vivante, et sa vie aussi passera vite. Elle aussi aura un début, une croissance et une fin. Sa vie est composée d'années, de mois, de journées et de minutes. C'est donc important d'agir rapidement.

Partons de l'idée que vous connaissez votre entreprise et les services qu'elle offre à sa clientèle. Vous connaissez les différentes fonctions réparties selon les membres de votre personnel et vous. Vous connaissez toutes les activités nécessaires à la bonne marche de votre entreprise. Je suppose aussi que vous planifiez bien chaque portion de votre temps et que vous en tenez un certain registre pour savoir comment s'écoule votre temps; de même, par un système comptable, vous tenez compte de l'usage de votre argent, de vos revenus et de vos dépenses.

Comme vous êtes une personne d'affaires et que vous voulez réussir, vous devriez commencer à faire une liste de toutes les fonctions et de toutes les activités de votre entreprise, pour constater comment vous les répartissez entre les membres de votre personnel.

Établissez des niveaux de priorités. Le premier devrait être pour les activités urgentes; le deuxième, pour les activités nécessaires; le troisième, pour les activités utiles.

Gardez en mémoire l'idée que vous devez penser en même temps: à court terme, à moyen terme et à long terme. À court terme, pour la survie quotidienne et hebdomadaire de votre entreprise, pour pouvoir payer votre personnel et commencer la semaine suivante. À moyen terme, par trimestre, de façon à vous assurer des réserves à tous les niveaux et pour être en mesure de survivre au moins trois mois. À long terme, prévoir une planification en vue d'objectifs réussis pour les trois prochaines années.

Conservez pour vous les grandes priorités, comme par exemple le contrôle total de vos encaissements et de vos décaissements. Déterminez ensuite les activités que vous pouvez déléguer à des collègues de travail parmi les activités nécessaires et les activités utiles. À la veille de chaque journée, faites une liste de toutes les activités que vous aimeriez terminer le jour suivant. Par la suite, soit comme dernière activité du soir ou première du matin, établissez la priorité de chaque activité en indiquant 1° urgent, 2° nécessaire, 3° utile. Quand vous révisez vos activités en fin de journée, vous éliminez ce que vous avez fait et ce qui est devenu inutile, et vous recommencez pour le lendemain. Vous cherchez à évaluer le temps consacré à chaque activité, pour vérifier si le lendemain vous pourriez faire mieux.

Puisque vous êtes unique, votre entreprise aussi est unique. Votre façon de contrôler votre temps dépend de vous et vous permet de vérifier jusqu'à quel point vous contrôlez votre vie. Que vous soyez vous-même l'entrepreneur ou l'«intrapreneur» (la personne qui crée un changement à l'intérieur d'une entreprise en vue de la croissance de cette entreprise), vous vous devez de prendre soin de votre temps autant que de votre argent. Veillez à bien vous organiser. Ayez toujours avec vous du papier et un crayon pour ne pas oublier les idées qui vous viennent par inspiration, créativité et intuition. Conservez toujours dans votre période de planification des moments libres pour accepter l'imprévu ou les retards. Quand vous fixez un rendez-vous avec quelqu'un, faites une liste des points que vous voulez réviser avec cette personne. Établissez d'avance la durée de la rencontre. Préparez un ordre du jour et respectez-le dans la mesure du possible.

Au fur et à mesure que votre entreprise grandira, vous trouverez de plus en plus difficile de tout faire vous-même. Vous devrez apprendre à mieux déléguer, à demander à des gens de faire des choses pour vous ou avec vous. Ayez l'intention de vraiment confier des tâches à d'autres. Donnez votre attention à la personne qui accepte de collaborer avec vous. Exprimez-vous avec clarté et avec respect pour que la personne puisse se sentir acceptée et qu'elle puisse aussi relever un défi capable de contribuer à sa croissance personnelle. Tenez tout le monde au courant de ce que vous déléguez et ayez confiance.

Le fait de vous décider rapidement et de faire le plus de choses possible aujourd'hui montre que vous tenez à affronter la vie telle quelle. Vous tenez à accepter la possibilité de vous tromper. Vous tenez à affronter la réalité, à assumer vos responsabilités, et à faire ce qu'il faut faire, que ce soit agréable ou désagréable.

La gestion du temps n'est pas une chose réglée une fois pour toutes. Votre entreprise va grandir, et vous aussi. Les marchés vont évoluer, et vous aussi. Vos priorités vont changer, et vous aussi. Quand vous en sentez le besoin, révisez vos objectifs et votre emploi du temps. Si vous avez l'impression que la vie est une entreprise, vous êtes l'entrepreneur qui fait ses choix personnels d'une façon réaliste et responsable. En plus d'être entrepreneur vous êtes aussi manager, vous êtes au contrôle de votre vie, comme vous êtes au contrôle du véhicule que vous conduisez, que ce soit une auto, un avion ou un bateau.

Bon voyage!

Questionnaire

1- Quelles sont pour vous les activités urgentes à court terme? À moyen terme? À long terme?

2- Quelles sont pour vous les activités nécessaires à court terme? À moyen terme? À long terme?

3- Quelles sont pour vous les activités utiles à court terme? À moyen terme? À long terme?

Découvrez le nouveau consommateur

Observez autour de vous, et vous remarquerez la plupart des détails suivants: les familles sont plus petites, plusieurs sont monoparentales; la plupart désirent plus de loisirs; les gens recherchent plus de scolarité; la classe moyenne manufacturière syndiquée diminue en nombre et en puissance; les consommateurs sont plus sceptiques et souhaitent une publicité plus réaliste; plus de femmes deviennent autonomes grâce à leur initiative et à leur scolarité; les consommateurs sont de plus en plus âgés, ils ont des besoins différents et des valeurs nouvelles; ils veulent un service rapide et personnalisé et recherchent moins de formalités dans le vêtement, le voyage et la restauration, et plus de qualité dans leur style de vie personnelle.

Apprenez à déterminer les différents secteurs. La société de consommation se divise en segments, et chaque entrepreneur ou «intrapreneur» qui se prépare à offrir des produits ou des services doit trouver son créneau commercial, sa spécialité, son segment.

Le Stanford Research Institute a fait beaucoup d'études sur la question des valeurs et des styles de vie et a déterminé quatre grands groupes de personnes et neuf valeurs et styles de vie à envisager dont voici un bref résumé:

1- Le groupe des extravertis, qui compte pour environ 67% de la population, se divise en trois sous-groupes:

   a) Ceux qui ont le sentiment d'appartenance. Ils sont plutôt âgés, traditionnels, conventionnels, pacifiques, patriotiques. Ils tiennent compte de la famille, des valeurs morales, des sentiments et de la stabilité (36%).

   b) Les actifs. Ils sont au mitan de la vie. Ils sont prospères, doués, travailleurs, consciencieux, stables, et aiment peu le changement (21%).

c) Les imitateurs. Ils sont plutôt jeunes, ambitieux, consciencieux, compétitifs, désireux de se tailler une place dans le système. Ils tiennent à réussir rapidement et à montrer des signes de leur réussite (10%).

2- Les introvertis (environ 20%):

a) Ceux qui tiennent compte d'abord de leur conscience sociale. Ils pensent à l'écologie, à l'environnement, sont mûrs, ont de l'influence, aiment la nature et préfèrent un style de vie où règne la simplicité (8%).
b) Ceux qui aiment faire des expériences. Ils sont plutôt jeunes, instruits, savent s'engager envers les personnes, s'intéressent aux arts, à la croissance intérieure, et ne font pas confiance aux institutions (7%).
c) Ceux qui sont portés à se dire: «Je suis moi!». Ceux-là sont âgés d'environ 17 à 21 ans. Ils font une transition, quittent l'adolescence pour entrer dans le groupe des jeunes adultes. Ils peuvent être en même temps exhibitionnistes et timides, narcissiques et effacés. Ils sont très actifs et très innovateurs (5%).

3- Les nécessiteux (11%):

a) Ceux qui se soutiennent eux-mêmes tout près du seuil de la pauvreté. Ils vivent avec ressentiment, agressivité, frustration, conservent un peu d'espoir et vivent à la petite semaine, dans plusieurs sens du mot (7%).
b) Les survivants. Ils sont plutôt âgés, pauvres, craintifs, déprimés, découragés, désadaptés, peu instruits, parfois malades, et incapables de suivre le changement. Ils ont perdu espoir (4%).

4- Les intégrés (environ 2%):

Ils sont mûrs psychologiquement, ont une grande vision de la création et une perspective globale de l'univers. Ils sont tolérants et compréhensifs, adaptés, orientés autant vers l'être humain que vers l'action, capables d'observer, d'étudier, d'expérimenter. Ils possèdent la créativité, l'ouverture d'esprit, la capacité de s'exprimer qui leur procure une grande confiance en la vie.

Chacune de ces catégories justifie la création de produits ou de services précis en vue de satisfaire des besoins socioéconomiques et psychologiques. Puisque le groupe des très riches est devenu plus important que la classe moyenne, ce grand groupe peut se permettre d'acheter des produits ou des services qui ne sont pas essentiels. Cependant, dans le monde occidental actuellement, qu'on le veuille ou non, les biens considérés non-essentiels aux gens sont pourtant très essentiels à la vie économique. Il appartient aux entrepreneurs d'y penser et de créer en conséquence.

Questionnaire:

1- Dans quelle catégorie vous situez-vous?

2- Dans laquelle se retrouvent les gens que vous connaissez?

3- Pouvez-vous faire une liste des produits et services que les gens de chacune des neuf catégories pourraient acheter?

4- Lequel de ces produits ou services pourriez-vous commencer à offrir selon vos connaissances et votre expérience?

5- Que pensez-vous de ce slogan des chambres de commerce: «Agir localement, penser globalement!»

Stimulez votre créativité

Créer, c'est partir de rien. Chacun de nous peut partir de rien et créer des idées nouvelles qui pourraient devenir des produits ou des services offerts à des clients. Nous pensons souvent que la créativité appartient seulement aux génies. Nous connaissons peu les mécanismes de l'invention et de l'innovation.

Des neurologues ont démontré que chacun de nous possède un minimum de cellules nerveuses douées du potentiel de créativité. Voici quelques suggestions:

1- Tout d'abord, précisez votre objectif de démarrage: un projet que vous tenez à réaliser ou un problème que vous aimeriez résoudre.

2- Apprenez à vous motiver, à vous maintenir en action, encore en action, et toujours en action vers les objectifs que vous avez choisis.

3- Produisez une grande quantité d'idées. En créativité, toutes les idées sont bonnes. Quelques-unes sont meilleures que d'autres. Acceptez même les idées les plus folles, les plus saugrenues, les plus farfelues, et faites-en une liste par intuition.

4- Laissez mijoter. Accordez une période de temps, une heure, une journée, une semaine, pour que ces idées se placent et qu'un tri se fasse spontanément dans votre cerveau.

5- Prenez le temps de juger et de choisir en utilisant vos facultés de jugement et de raisonnement pour en arriver à choisir l'idée la plus urgente, la plus nécessaire, la plus utile, la plus agréable, selon les critères que vous aurez établis.

6- Chaque jour, passez à l'action et faites des pas qui vous rapprocheront de vos objectifs. Chaque jour, dressez une liste de ce que vous avez fait et de ce que vous voudriez faire le lendemain.

7- Faites preuve de leadership. Expliquez vos idées à des personnes qui peuvent vous aider à faire des pas vers la réalisation de vos projets ou la solution de vos problèmes. La plupart des personnes n'ont pas la même idée ni la même conviction que vous. Il y aura donc au départ une résistance au changement. Ce sera important d'afficher une ouverture d'esprit et d'accepter que ces personnes adoptent votre idée un peu plus tard que vous.

8- Soyez persévérant. La ténacité est très importante. Les grands créateurs l'ont démontré dans toutes leurs activités: que ce soit Albert Einstein ou Pablo Picasso, Marie Curie ou Indira Gāndhi, Nicolas Copernic ou Winston Churchill, tous ont démontré une sorte d'entêtement ou d'obsession à réaliser leurs objectifs.

9- Sortez des sentiers battus. Ne vous contentez pas de l'ordinaire. Faites face à l'inconnu, à l'impossible, à l'utopique. Regardez un projet ou un problème du point de vue d'un extraterrestre.

10- Développez votre sens de l'humour. Ne soyez pas trop sérieux. Laissez votre esprit se promener. Ayez le goût du jeu, du défi, et, de temps à autre, faites l'éloge de la paresse. Apprenez à raconter de petites histoires drôles, courtes, convenables.

11- En toute chose, faites appel à la logique et à l'intuition pour démontrer d'une façon raisonnable l'importance de votre projet, tout en acceptant les éclairs de génie qui peuvent vous arriver.

12- Pensez à court terme, à moyen terme, à long terme. À court terme pour survivre, à moyen terme pour assurer votre sécurité, à long terme pour en arriver à faire ce que vous aimez vraiment faire dans la vie, et développer le côté intellectuel et scientifique de votre cerveau, le côté émotif et artistique de ce même cerveau, et finalement explorer l'aspect invisible, spirituel, métaphysique et cosmique de l'existence pour ainsi augmenter votre niveau de conscience.

Créer, c'est partir de rien!

Questionnaire

1- Saviez-vous que votre créativité est plus grande que vous ne le pensez?

2- Acceptez-vous le stress que donne un résultat inconnu d'avance?

3- Aimeriez-vous sentir que vous pouvez développer le sens pratique de votre créativité?

4- Saviez-vous que votre créativité vous aidera à survivre à toutes sortes de problèmes, à surmonter toutes sortes d'obstacles, à accepter toutes sortes de frustrations?

5- Sentez-vous la noble fierté que donne la conviction de pouvoir choisir de se créer une vie belle, bonne, vraie, grande, utile, agréable et intéressante?

Devenez meilleur négociateur

Que nous soyons employeur ou employé, chef d'entreprise ou collaborateur immédiat, patron d'une équipe ou patron de notre vie, nous avons tous des objectifs. Nous ne pouvons pas les atteindre seul et nous avons besoin de la collaboration des autres. Nous devons apprendre à mieux négocier pour que toutes les personnes concernées obtiennent des avantages de la transaction.

Que ce soit dans une vie de couple, une discussion d'affaires, une situation employeur/employé, il est important de savoir négocier et d'améliorer son style de négociation. Voici cinq principes de base:

1- Visez un résultat où chacun est gagnant. Commencez votre négociation en pensant que les deux parties créeront des résultats avantageux. Ainsi, au lieu de séparer le gâteau en petits morceaux, cherchez à partager un plus gros gâteau.

2- Changez la situation, non les personnes, car les problèmes ne sont pas les personnes. Ne laissez jamais les émotions venir compliquer le processus de la négociation. S'il y a un problème, ce n'est pas nécessairement parce que telle personne est concernée. Par exemple, lorsqu'un enfant fait une erreur, ce n'est pas l'enfant qu'il faut condamner, c'est l'erreur. Ne blâmez pas l'autre personne. Ce que nous voulons transformer, c'est la situation, et non pas la vie émotionnelle de l'autre personne.

3- Les émotions ne sont pas des conditions. Il est vrai que les émotions des deux parties en cause font partie de la négociation. C'est important de communiquer ses émotions. Cependant, ce n'est pas l'aspect le plus important. Nous avons tous déjà préféré perdre et avoir raison que de gagner et ne pas avoir tort. Cherchez à communiquer avec efficacité et clarté en écoutant l'autre avec vos yeux et vos oreilles, pour bien comprendre sa position. Imaginez que vous pouvez regarder le problème et créer des solutions côte à côte et non pas face à face.

4- Les intérêts de chacun priment sur les positions de chacun. Les anciennes méthodes de négociation nous portent à cacher nos intérêts et à soutenir nos positions. Les nouvelles méthodes de négociation nous recommandent de ne pas soutenir un point de vue pour le plaisir de soutenir ce point de vue, mais plutôt de communiquer nos intérêts et d'amener l'autre à communiquer les siens. Cette attitude suppose que chacun accepte de créer un haut niveau de confiance. Il y a de fortes chances qu'en cours de route, les deux parties découvrent des intérêts communs à protéger et choisissent d'économiser de l'énergie en y travaillant ensemble.

5- On ne peut refaire le passé. On peut préparer l'avenir. Coopérez pour créer des idées qui pourraient devenir les solutions les plus avantageuses pour chacun. Oubliez temporairement toutes les différences et imaginez qu'il n'y a que des intérêts communs. Vivez une période de «brainstorming» où tout le monde accepte toutes les idées comme étant des solutions possibles en remettant à plus tard l'évaluation, le jugement et le choix final.

Questionnaire

1- Êtes-vous capable de demander quelque chose?

2- Dans une prochaine négociation, pourriez-vous commencer en demandant à l'autre partie de respecter les cinq points d'une bonne négociation?

3- Pouvez-vous rester le visage impassible comme un joueur de cartes qui ne laisse pas paraître ses émotions?

4- Pouvez-vous ne pas blâmer l'autre et ne pas réagir brutalement s'il vous blâme?

5- Acceptez-vous d'être tous les deux gagnants?

Apprenez l'art de prévoir

Nous aimerions tous connaître l'avenir. Nous cherchons par différents moyens à prendre les meilleures décisions et nous nous inspirons souvent de certaines techniques, les unes logiques, les autres intuitives; celles-ci, claires et logiques; celles-là, mystérieuses et émotives.

Supposons que la vie est un jeu. Lorsque nous jouons aux cartes, aux échecs ou au hockey, si nous connaissions d'avance le résultat de la partie, nous n'éprouverions aucun plaisir et, bien entendu, nous ne subirions aucun stress. Par ailleurs, nous n'aurions probablement pas le goût de jouer. Il en va tout autrement de la vie: elle nous cause un certain stress mais en même temps un certain plaisir car nous avons la liberté d'influencer notre destin en prenant des décisions basées sur le résultat de notre prévoyance. Il est donc important d'élaborer une philosophie de prévoyance, basée sur le jugement, la prudence et la logique.

Examinons ensemble certains principes de l'art de prévoir:

1- Dans certains cas l'histoire se répète, dans d'autres cas, elle ne se répète pas. Il est vrai que le futur n'est pas un pur hasard, mais il ne répète pas le passé avec exactitude. Il est donc important de connaître l'histoire car, quelques fois on pourra l'écrire de la même manière, d'autres fois non.

2- Il arrive que des événements imprévus changent complètement le cours de la vie économique. Par exemple, en 1990, qui aurait pu prévoir la guerre du golfe persique contre l'Irak et le problème du golf d'Oka au Québec. D'où l'importance d'avoir des réserves, que ce soit des réserves d'idées, de nourriture, d'argent ou d'énergie.

3- Lorsqu'il y a un consensus presque total atteint par des experts en prévisions économiques, le consensus est plus souvent exact qu'inexact. Il est donc sage d'en tenir compte pour évaluer votre propre situation et celle de votre entreprise.

4- Tous les peuples ont été amenés, pour faire image, à inventer des slogans ou des proverbes importants. Ces proverbes ou ces slogans servaient le plus souvent d'instruments de décision ou pour se démarquer lors du choix du personnel ou d'une politique de prix ou de publicité. Ainsi, par exemple: «Tu l'as ou tu l'as pas!», «Un tiens vaut mieux que deux tu l'auras!», «Quand on veut, on peut!». Ces slogans ou parfois ces proverbes ne sont pas toujours vrais pour vous.

5- Certains principes de physique s'appliquent au secteur économique. Ainsi, par exemple: «Les mêmes causes dans les mêmes circonstances produisent les mêmes effets». Au point de vue économique, il faut cependant ajouter: «pas nécessairement au même moment ou selon la même durée.»

6- Soyez à l'affût des exceptions de la nature, des cas uniques, des événements fortuits et des circonstances qui ne se rencontrent qu'une fois dans une vie.

7- Le voyage est aussi important que la destination. Votre façon d'analyser des chiffres ou des statistiques est aussi importante que les statistiques elles-mêmes. Dans cette optique, si on annonce que le prix du pétrole a augmenté de deux dollars le baril, s'agit-il d'une augmentation de 2% ou de 20%? Si on annonce que l'indice de la Bourse a baissé de 30 points, est-ce que ça représente 2%, 10% ou 20%?

En conclusion, disons que l'avenir est plus important que le passé, car c'est là où nous vivrons le reste de notre vie. Au baseball, le joueur du champ centre qui voit venir vers lui une balle que le frappeur lui destine peut se faire une idée de l'endroit où il doit se placer pour la cueillir, après avoir vu une partie du trajet parcourue par la balle. Le passé le guide dans son action future, mais son action future (l'attraper) est plus importante que le départ de la balle.

Questionnaire

1- Comme chef d'entreprise, comprenez-vous l'importance de connaître le passé pour prévoir le futur?

2- Est-ce que tous les slogans ou proverbes correspondent à ce que vous vivez ou sont bons pour vous?

3- Acceptez-vous l'idée que vous pouvez commencer à être heureux tout de suite tout en travaillant à la réussite de votre entreprise plus tard?

4- Croyez-vous qu'une phrase, un livre, une personne ou un événement peut orienter votre vie vers du plus et du mieux?

Soyez philosophe

Que vous soyez patron ou employé, jeune ou moins jeune, votre vie est une entreprise qui a déjà commencé et dont vous devez assurer la croissance pour vous-même et pour les personnes qui sont dans votre vie. C'est donc important de vous arrêter pour penser, de façon à exercer votre jugement et à vous maintenir en action grâce à de meilleures décisions. Être philosophe, c'est réaliser que les problèmes humains sont éternellement actuels et que les solutions sont éternellement possibles. Voici quelques brins de philosophie, de nature à contribuer un tant soit peu à votre réflexion philosophique.

La vie normale se caractérise par l'attention au réel, au quotidien, à l'instant présent, à ce qui est vécu par moi, ici, maintenant.

Souvent, nous pensons que la vie est absurde parce que nous n'y trouvons aucune raison valable de vivre. L'action semble le seul refuge contre l'absurde et la seule manière de donner un sens à notre vie.

L'acquis, c'est l'ensemble des connaissances acquises par l'expérience ou par l'étude. C'est donc important de chercher à apprendre en choisissant de vivre des expériences et d'étudier pendant toute notre vie.

L'action est la manifestation d'une personnalité. Est-ce que l'être humain pense pour agir ou agit-il pour penser? Plusieurs écoles de pensée affirment: agir, agir, voilà notre principale raison d'être ici-bas.

L'agressivité normale pousse la personne à faire front, à se sentir d'attaque, à entreprendre. L'ambiguïté, c'est la capacité d'être à la fois la personne qui pense et la personne qui agit, celle qui se retire du monde et celle qui s'y engage.

L'autonomie, c'est le fait de se donner à soi-même sa propre vie. On peut ainsi dire que la vraie liberté consiste non pas à ne pas travailler, mais à faire le travail que l'on aime et que l'on choisit. Le bonheur est une forme de sagesse qu'éprouve la personne qui se connaît le mieux possible et qui sait réaliser les tendances profondes de son être. Le bonheur résulte toujours d'une activité que l'on aime et que l'on choisit librement. C'est une sorte de béatitude, toujours à notre portée, qui s'identifie avec le sentiment de vivre et d'agir.

La civilisation, c'est l'ensemble des traits que l'on observe chez une personne ou une société. La technique constitue le corps d'une civilisation, la culture représente son âme. L'être humain doit d'abord se nourrir s'il veut consacrer du temps à sa culture. D'où l'importance de l'esprit d'entrepreneurship.

La communication, c'est une relation entre des personnes. Cette relation s'accomplit par le langage. Pourtant, deux êtres ne se seront jamais tout dit une fois pour toutes. Il faut un haut degré de culture pour réaliser que le langage est fait pour converser et échanger des idées. Pour Platon comme pour Sénèque, c'est l'amitié qui constitue la relation interpersonnelle la plus pure. La communication, c'est l'action d'une liberté sur une autre liberté dans le respect total.

La création, c'est l'action de tirer quelque chose du néant. L'idée de la chose que l'on crée naît et se développe dans le mouvement même de l'exécution. Il faut donc commencer.

La culture, c'est la formation sociale, intellectuelle, scientifique et artistique que l'individu se donne dans la société.

Le désir, c'est une tendance consciente. Le désir suppose une certaine insatisfaction, donne à la vie une certaine tonalité et pousse à l'action. Toutefois, les désirs étant en nombre infini, une personne qui désirerait les satisfaire tous perdrait toute liberté. Le désir qui a subi le contrôle de la réflexion devient un acte volontaire. C'est l'acte de la volonté qui est l'expression de la personnalité.

La destinée est l'ensemble des événements qui arrivent à l'homme. On peut donc dire que tout le problème de la vie humaine est de se réconcilier avec son destin. Le véritable bonheur serait donc de pouvoir se réaliser à l'occasion des événements qui nous arrivent, d'exploiter les événements dans le sens de notre volonté et de reconnaître dans ce qui nous arrive le signe de notre destinée.

Le devoir est une obligation morale, en général. Le devoir peut venir de la conscience individuelle ou de la conscience sociale. Ainsi, la conscience individuelle peut nous porter à travailler pour gagner notre vie et la conscience sociale peut nous amener à choisir un travail utile à la société. Cependant, la vie peut nous confronter entre le devoir de la conscience individuelle et le devoir de la conscience sociale.

Le droit est ce que l'on peut exiger d'autrui, le devoir est ce qu'autrui peut exiger de nous.

L'élan vital est une tendance créatrice de la vie qui pousse à l'évolution et à la recherche du perfectionnement individuel comme règle principale de sa conduite.

Une activité empirique est fondée plus sur l'expérience et l'observation que sur l'étude. Cependant, elle n'exclut pas l'apport créateur de l'esprit que représente la théorie, l'hypothèse et l'invention.

La vie humaine n'est pas déterminée d'avance, elle se crée perpétuellement au fur et à mesure de nos décisions libres et volontaires.

Exister, dans la philosophie existentialiste, c'est se projeter hors de soi-même, faire des projets, s'arracher à son état dans une action toujours nouvelle. C'est ainsi qu'on peut prendre conscience de la liberté, ce caractère fondamental de l'existence humaine. L'existence authentique est la prise de conscience totale que nous sommes des êtres qui ont été jetés dans la vie et qui sont destinés à la mort.

L'être humain est un individu engagé dans la société. C'est la personne elle-même qui doit donner à sa propre vie un sens et devenir dans sa vie un être raisonnable. La personne n'est que ce qu'elle fait d'elle-même. Être, c'est se choisir par un libre engagement. L'être humain est condamné à être libre.

Notre existence est incompréhensible en elle-même. Nous sommes donnés à nous-mêmes, c'est-à-dire que nous sommes nés avant de prendre conscience de nous-mêmes et nous découvrons notre existence comme un fait que l'on ne peut que constater. Voilà pourquoi nous sommes libres d'orienter notre existence. Il n'y a rien qui règle le cours de notre vie d'une façon nécessaire. Nous sommes libres. Tout ce que nous faisons est factice, c'est-à-dire pourrait ne pas être.

La finitude, c'est l'impossibilité de tout faire dans la vie et la nécessité où nous sommes de choisir librement, souvent de façon arbitraire, entre les différentes possibilités qui nous sont offertes.

La foi en l'être humain peut se définir comme un espoir dans les progrès de la civilisation, dans l'élévation du niveau de vie et dans l'atteinte d'une paix sociale et d'une harmonie mondiale.

Le génie, c'est une disposition naturelle propre à une personne, et qui pousse à inventer. Un esprit vraiment créateur semble tenir sa puissance d'une force qui dépasse la nature humaine. C'est une force de la nature, une communion avec l'univers, une participation avec la vie ou avec Dieu. Le génie est une longue patience, le résultat d'un travail continu dans une spécialité.

Une habitude, c'est une manière d'être acquise, qui résulte simplement de la répétition de certains actes devenant peu à peu inconscients. On s'habitue à tout, et ainsi on acquiert une disposition à faire un travail déterminé avec moins d'effort et plus de réussite. L'habitude est alors une seconde nature qui se superpose à la première et qui amène les habitudes sociales à une maîtrise de nos désirs naturels.

Comment l'être humain peut-il connaître sa destination dans la vie? Une des façons, c'est de prendre conscience des bonnes et mauvaises orientations qu'il donne à sa vie, par ses erreurs et ses réussites, par ses limites et ses possibilités, par le résultat positif ou négatif de ses choix, de ses décisions et de ses orientations. C'est ainsi qu'il peut, ce faisant, se faire.

L'humanisme est une théorie philosophique, sociale et politique qui a pour buts suprêmes le développement illimité des possibilités de la personne humaine et le respect intégral de la dignité de la personne humaine. Ce qui constitue un but moral et aussi un programme économique.

Une hypothèse est une vérité possible mais non encore prouvée. C'est une idée qui nous aide à interpréter les faits. La science, comme la réflexion philosophique, consiste en un perpétuel va-et-vient entre les faits et les idées. L'observation des faits est le premier moment de toute recherche, l'hypothèse explicative est le deuxième et la vérification par l'expérience, le troisième. La capacité de pouvoir élaborer des hypothèses permet de mesurer le degré d'esprit inventif d'une personne. Cependant, ce qui est hypothétique s'oppose à ce qui est réel, tout comme le probable s'oppose au certain.

L'impulsion est une force qui nous pousse à poser une action. Elle est indépendante de la volonté, comme par exemple chez l'enfant: l'impulsion de manger ou de boire. Chez les sujets normaux, les impulsions sont dirigées par l'éducation et la vie en société. Le sujet bien élevé parvient, ou du moins le cherche, à maîtriser du mieux possible ses émotions en vue de se dominer lui-même. Plusieurs philosophes mesurent la liberté d'une personne à sa capacité à maîtriser ses impulsions. La prise de conscience de nos motivations profondes augmente notre liberté et nous permet de nous adapter plus rapidement à toutes les situations. La philosophie du droit a comme objectif de concilier les libertés individuelles avec les nécessités de la vie sociale, car chaque personne cherche à influencer une autre personne, l'influence se définissant comme l'action d'une liberté sur une autre liberté, dans le respect total.

Il est certain que nous portons en nous des talents innés par hérédité. Il n'en requiert pas moins que nous devrions sans cesse travailler à nous cultiver et à nous instruire afin d'acquérir un savoir véritable par l'étude et les contacts avec ses semblables.

L'intelligence est la faculté de comprendre et de saisir des rapports entre les idées ou les choses. C'est aussi la faculté d'adaptation en vue de la survivance, l'aptitude à s'adapter rapidement à des situations ou des problèmes nouveaux. Chacun peut développer son intelligence en se cultivant par la lecture et par les cours, en apprenant à mieux raisonner et à mieux juger, et aussi par l'action, en s'entraînant à créer en vue de réaliser des projets.

La liberté, c'est d'une part l'absence de contraintes, d'autre part l'état d'une personne qui fait ce qu'elle veut, ce qu'elle choisit de faire. Au premier niveau, la liberté s'identifie avec la santé de l'organisme. À un stade plus élevé, la liberté s'identifie avec la spontanéité des tendances et la capacité de choisir entre ces tendances. Le troisième niveau est celui de la conscience. C'est la conscience de pouvoir choisir entre plusieurs possibilités d'action.

Au sens le plus plein, la liberté se définit comme une réalisation volontaire justifiée par le plus grand nombre de motifs, car notre action est alors non seulement l'expression d'un choix personnel, mais d'un choix capable de se justifier rationnellement aux yeux des êtres humains. Aux yeux de Platon, de Baruch Spinoza et d'Emmanuel Kant, l'action libre est celle qui se détermine en faveur du désir raisonnable. Finalement, la liberté est une attitude: celle de la personne qui se reconnaît dans sa vie, qui approuve l'histoire du monde et des événements, qui s'adapte à l'évolution et à l'ordre des choses. L'être humain, selon Karl Jaspers et Jean-Paul Sartre, devient libre lorsqu'il substitue une attitude active à une situation subie, lorsqu'il réalise sa personnalité à travers les événements du monde au lieu de les subir du dehors.

Sur le plan social, la liberté requiert que tous les êtres humains puissent trouver du travail, et sur le plan humain, que tous les citoyens partagent la volonté de travailler efficacement à construire une économie florissante. Le problème est donc de concilier la liberté individuelle et la loi sociale. Dans une démocratie, il faut un minimum de lois pour qu'il y ait société et un minimum d'initiative individuelle pour qu'il y ait liberté.

La libido est un mot latin qui signifie désir. C'est une énergie vitale qui est à l'origine du goût de vivre en général et de toutes les manifestations constructives de la vie: la vie sexuelle, les œuvres d'art et toutes formes de création, comme la création d'entreprise. La libido désigne donc la puissance de vie tout entière, principe de toute explication de nos actes et de nos entreprises.

Cette volonté de vivre entièrement, cette présence totale d'une personne à elle-même, ne peut s'accomplir que dans le travail, surtout la création d'une œuvre. Il reste donc à vivre pleinement sa vie, à agir au maximum dans la voie où notre volonté et les circonstances nous ont placé, à poursuivre notre œuvre et notre travail par des décisions actuelles et des actions efficaces.

La pédagogie est l'art d'instruire et de former les individus. Le principe est donc non seulement d'enseigner des connaissances mais de former des êtres humains afin de permettre à chacun de se réaliser et d'épanouir sa personnalité et sa propre forme d'intelligence. La personnalité, c'est l'ensemble des talents innés par hérédité, reçus du milieu par l'éducation familiale, scolaire et sociale, et acquis par force de volonté, par des choix libres au cours de l'adaptation originale de l'individu à son entourage. Une personnalité ne s'analyse pas, elle se réalise et se manifeste concrètement par des réussites dans les arts, la culture, la politique ou les affaires.

L'être humain est doué de conscience et son caractère propre est d'agir, donc de ne plus être ce qu'il est.

Le progrès, c'est un mouvement en avant, vers l'accroissement des connaissances de l'esprit et du bonheur de l'homme, un progrès social dans le sens de la liberté politique et du bien-être économique. Le progrès consiste en l'amélioration continue de notre propre nature et surtout l'intelligence et la sociabilité. La valeur d'une époque se caractérise par sa culture.

Cependant, du point de vue individuel, chaque être humain qui vient à la vie doit réapprendre complètement à surmonter ses passions et à faire triompher la raison; alors que, du point de vue de l'histoire de l'humanité, on constate une évolution dans le sens d'une plus grande liberté et d'une paix durable et organisée. En d'autres mots, l'histoire des individus est une perpétuelle répétition des mêmes erreurs et des mêmes comportements, tandis que l'histoire de l'humanité révèle un progrès dans le sens de l'association des nations et des êtres humains.

Être responsable d'un acte, c'est reconnaître en être l'auteur et en accepter les conséquences, c'est-à-dire les sanctions. On est responsable d'un acte: premièrement, quand on l'a voulu et accompli soi-même; deuxièmement, quand on l'a voulu sans l'accomplir soi-même; troisièmement, quand on l'accomplit soi-même sans le vouloir; quatrièmement, quand on ne l'a ni voulu ni accompli soi-même, mais qu'il dépendait de soi de l'éviter.

La tolérance est une tendance à admettre des formes de pensées, d'actions et de sentiments différents des nôtres. La tolérance est un principe de morale lié au respect élémentaire des personnes morales. Elle est aussi une preuve d'intelligence, car on enrichit son cerveau au contact des croyances et des pratiques différentes des nôtres.

L'être humain ne peut avoir le sentiment de vivre qu'à l'occasion d'une activité créatrice, et plus particulièrement lorsqu'il éprouve dans le travail sa solidarité avec d'autres êtres humains.

Le volontarisme est une théorie selon laquelle la volonté intervient dans tout jugement. Il insiste sur l'acte et la responsabilité de la personne, et à nous considérer responsable de tous nos états, de toutes nos idées et de tous nos sentiments.

La volonté est une activité réfléchie et consciente. La volonté suppose l'engagement total de la personne ajouté à la patience d'attendre et à l'art de contourner les obstacles pour arriver à ses fins.

Observez la vie qui se déroule autour de vous. Étudiez les gens et expérimentez votre point de vue, de façon à construire vous-même votre propre philosophie.

Questionnaire

1- Voulez-vous éveiller le philosophe qui dort en vous?

2- Pouvez-vous être une personne d'action et une personne de pensée?

3- Croyez-vous qu'une pensée peut être une découverte?

4- Prenez-vous le temps de vous arrêter pour philosopher, seul ou avec d'autres?

Devenez un conteur d'histoires

Toutes les personnes aiment entendre raconter des histoires. Les jeunes comme les moins jeunes savourent un événement bien narré car nous sommes tous intéressés au fond à connaître ce qui est arrivé à quelqu'un d'autre et dans quelles circonstances. De plus, une histoire drôle permet de développer le sens de l'humour, de créer des liens, de détendre l'atmosphère, d'établir une certaine complicité et de contribuer à créer un climat de confiance.

Voici certaines choses à faire et à ne pas faire. Tout d'abord, choisissez toujours des histoires courtes. Parlez lentement. Respirez souvent et profondément. Regardez les gens dans les yeux. Faites quelques gestes amples et lents. Bougez les yeux lentement. Affichez une mimique comme si vous étiez un comédien chevronné.

Cependant, ne gâchez pas votre histoire. Ne la riez pas avant les autres. Ne dites pas qu'elle est vraiment drôle. Ne parlez pas trop vite. Évitez toute forme d'agressivité, de préjugés, de harcèlement. En fait, ne racontez jamais une histoire qui pourrait attaquer ou brimer quelqu'un en raison de sa sexualité, de sa race, de sa langue, de sa religion, d'une infirmité ou de la politique. Si toutefois il vous arrive de toucher ces domaines, faites-le sous forme de taquineries gentilles et amicales.

Surtout, pratiquez, pratiquez, pratiquez.

Voici d'ailleurs quelques historiettes pour vous inspirer:

Un jour, un bijoutier sort de son magasin et dit à un passant:

«Monsieur, je vous vois faire depuis quelques mois: chaque matin, vous arrêtez, vous regardez mon horloge, vous ajustez votre montre, et vous continuez. Pourquoi agissez-vous ainsi?

Et notre type de répondre:

– Écoutez, je suis le contremaître de l'usine située au bout de la rue. Chaque midi, c'est moi qui fais retentir le sifflet. Comme je tiens à avoir l'heure juste, j'ajuste ma montre d'après votre horloge chaque matin.»

Et le bijoutier de continuer:

– C'est fantastique! Depuis des mois, le midi, quand j'entends votre sifflet, j'ajuste mon horloge.

À l'occasion de Noël, Charles de Gaulle vient se confesser à son curé à Colombey-les-Deux-Églises. «Je m'accuse d'un péché d'orgueil!» dit-il. Le curé lui donne comme pénitence de déposer une gerbe de fleurs devant la crèche de l'enfant Jésus. Le lendemain, monsieur de Gaulle s'exécute, achète des fleurs, les laisse avec sa carte sur laquelle il écrit: «De la première personne de la France à la deuxième personne de la Trinité. Quelques instants plus tard, le curé s'étant aperçu de ce nouveau péché d'orgueil, de dire à son paroissien: «Écoutez, vous récidivez! Corrigez-vous!» Monsieur de Gaulle prend une autre carte sur laquelle il écrit: «Du grand Charles au petit Jésus.»

Un petit garçon dit à son frère jumeau:

«Il ne restait que deux morceaux de gâteau, et tu as pris le plus gros! Pourquoi m'as-tu laissé le plus petit?

– Si tu avais choisi avant moi, est-ce que tu aurais pris le plus petit?

– Bien sûr que oui! J'aurais été poli et j'aurais pris le plus petit!

– Eh bien, tu l'as!»

Un étudiant écrit à sa mère: «Maman, ce n'est pas facile au pensionnat. J'ai échoué mon examen. Prépare papa.» Sa mère lui répond: «Papa est préparé. Prépare-toi!»

Un jeune marin est appuyé sur le bastingage d'un navire, en plein milieu de l'océan. Il dit à un matelot expérimenté: «C'est mon premier voyage. Je n'ai jamais vu tant d'eau que ça de toute ma vie!» Et l'autre de lui rétorquer: «Ce que tu vois, c'est seulement le dessus.»

Un jour, sur un navire, en plein milieu de l'océan, un passager dit à son voisin:

«Regardez le ciel étoilé! Comme c'est beau! Connaissez-vous l'astronomie?

– Pas du tout.

– Alors, vous avez perdu le quart de votre vie! Voyez cette constellation. Connaissez-vous la distance entre Orion et Cassiopée?

– Pas du tout.

– Eh bien, vous avez perdu un autre quart de votre vie!»

À ce moment, le vent se lève, le bateau tangue soudain démesurément, et, devant ce danger menaçant, le deuxième passager demande au premier:

– Et vous, monsieur, savez-vous nager?

– Non!

– Eh bien, vous risquez de perdre non seulement le quart mais toute votre vie.

Un homme arrive au quai pour prendre le traversier, et s'aperçoit que le bateau est à deux ou trois mètres du quai. Il court, s'élance, fait le saut, arrive juste sur le bout du traversier, et dit avec joie au premier matelot qu'il voit: «Je l'ai eu!» Et le matelot de lui répondre: «Le traversier ne part pas, il arrive!»

Il fait presque nuit et un homme arrive à New York. Il descend de l'autocar avec fierté. Il est venu ici, de ses contrées lointaines, après avoir entendu dire que, dans cette grande métropole américaine, l'argent jonche les trottoirs et qu'on en trouve chaque jour. Et voici que ce ouï-dire semble véridique car en descendant de l'autocar, en mettant le pied sur le trottoir, il voit un billet de 10$

sous son soulier. Avec insouciance, il se dit: «*À quoi bon me fatiguer à me pencher pour ramasser ce billet? Je commence à travailler seulement demain.*»

Un jour, on demande à quelqu'un qui se donne des coups de marteau sur la tête: «Pourquoi agissez-vous ainsi?» Et l'autre de répondre: «Parce que ça me fait beaucoup de bien quand j'arrête!»

Un séminariste demande à son supérieur:

«Peut-on fumer en priant?

– Non!

– Peut-on prier en fumant?

– Oui!»

Un jour, on m'a posé la devinette suivante: «Pourquoi a-t-on fait installer une horloge dans la tour de Pise?» Et la réponse qu'on attendait était celle-ci: «Car c'est cruel d'avoir un penchant quand on n'a pas le temps.»

Un homme est à l'église et prie à voix basse. «Mon Dieu, faites que je trouve 100$ d'ici demain matin». Et il répète inlassablement cette supplication: «Faites que je trouve 100$ d'ici demain matin.» Arrive alors un deuxième paroissien qui se place à proximité de l'autre et se met à invoquer: «Mon Dieu, faites que je trouve un million de dollars d'ici demain matin. Faites que je trouve un million de dollars d'ici demain matin.» Notre deuxième gaillard, sentant que le premier le dérange et peut déranger aussi le même bon Dieu, sort un 100$ de sa poche et le donne à l'autre en disant: «Écoute, ne Le dérange pas pour rien, prends ceci et va-t'en tout de suite.»

Un jour, quelqu'un me demanda: «Supposons qu'un soir d'automne, sur une montagne, tu vois passer un ours blanc, ensuite un ours gris, puis un ours brun, et enfin un ours noir, que dois-tu en conclure? N'est-ce pas un mauvais présage? J'ai tenté plusieurs réponses sans succès. Finalement, on me dit: «Ça veut tout simplement dire que les ours se suivent et ne se ressemblent pas.»

Deux amis discutaient et pariaient à savoir lequel des trois marchands de vaisselle présents pouvait le mieux satisfaire sa clientèle. Ils demandent donc au premier:

«Avez-vous des tasses dont l'anse est à gauche?

– Non.

Au deuxième:

«Avez-vous des tasses dont l'anse est à gauche?

– Il ne m'en reste plus.»

Au troisième, il pose la même question. Et lui de répondre:

«Un instant, je vais aller voir dans ma réserve.»

Il s'y rend.

«Combien vous en faut-il? Vous en voulez 48? Laissez-moi les compter.»

Le troisième marchand revient donc, tout heureux, le sourire aux lèvres.

– Quelle chance vous avez! J'avais commandé 48 tasses avec l'anse à droite, et j'ai reçu des tasses avec l'anse à gauche, c'est une erreur de mon fournisseur.

Celui qui avait gagné son pari dit:

«Tu me dois l'argent que nous avions parié.»

Et le perdant de rétorquer:

– Ce n'est pas qu'il prend soin de sa clientèle, c'est qu'une erreur s'est glissée chez son fournisseur.»

Un jour, une course internationale de chevaux fut organisée à laquelle plusieurs pays participants s'étaient inscrits. À cette époque, les communications étaient très lentes d'un pays à l'autre.

Beaucoup de journalistes présents assistaient à l'événement et avaient hâte de connaître le résultat de la course pour en communiquer la nouvelle à leurs journaux respectifs. Cependant, au cours de la nuit, plusieurs chevaux tombèrent malades, et le matin venu, seulement deux des concurrents purent participer: le cheval russe et le cheval américain. L'histoire raconte que le cheval américain remporta la course, et le lendemain, dans les journaux américains, on lisait: «Le fameux cheval américain est arrivé premier, et le pauvre cheval russe est arrivé dernier.» Dans les journaux russes, on lisait: «Le brave cheval russe est arrivé deuxième et le petit cheval américain est arrivé avant-dernier.»

Au cours d'une guerre, on avait demandé à un expert comment faire sortir les sous-marins ennemis de l'océan afin de les bombarder plus facilement. Un expert avait suggéré de faire chauffer l'océan à un degré tel que les sous-marins seraient contraints en peu de temps de remonter à la surface pour y respirer l'air frais. Tout le monde avait applaudi cette idée géniale. Cependant, quelqu'un avait osé poser la question: «Mais comment ferons-nous pour réchauffer un tel volume d'eau?» Et notre expert de répondre: «Vous m'avez demandé une grande idée, les détails de la mise en application vous appartiennent.»

Un jeune homme de 20 ans, fils de cultivateur, décida de se marier avec une fille de cultivateur possédant un tracteur. Il fit passer l'annonce suivante dans le journal local: «Jeune fils de cultivateur désire marier une fille de cultivateur possédant un tracteur. Prière d'écrire à la case postale 257 et d'inclure la photo du tracteur.»

Un petit garçon est assis à côté de son père dans une auto. Ils traversent une grande ville.

«Papa, c'est quoi ce monument?

– Je ne sais pas.

– Papa, c'est quoi ce pont?

– Je n'en ai pas la moindre idée.

– Papa, c'est quoi cet édifice?

– Je n'en sais rien.

– Papa, est-ce que je te pose trop de questions?

– Mais non, fiston! Tu ne pourras jamais t'instruire si tu ne poses pas de questions.»

Une poule et un petit cochon faisaient une promenade. Ils rencontrent un pauvre affamé. La poule dit: «Offrons-lui donc à manger.» Le petit cochon répond: «Oui, mais quoi?» La poule lui dit: «Des œufs et du bacon.»

Un homme, traversant le désert avec son chameau, fut obligé de passer la nuit dans une petite oasis. Avant de s'endormir, il fit une prière à la suite de laquelle il entendit: «Prends des cailloux, remplis tes poches, et demain matin, à ton réveil, tu seras en même temps heureux et malheureux!» Notre gaillard, sans rien comprendre, amasse des cailloux, remplis ses poches, essaie de s'endormir, et le lendemain matin, au lever du soleil, il regarde ses cailloux et constate qu'ils se sont tous transformés en pierres précieuses: des diamants, des rubis, des émeraudes et des perles. C'est à ce moment-là qu'il constate qu'il est en même temps heureux et malheureux: heureux d'avoir pris tant de cailloux, et malheureux de ne pas en avoir pris davantage.

Un cultivateur ramène son troupeau laitier vers son étable, pour lui faire passer l'hiver à l'abri du froid. Il aperçoit par terre un petit oiseau presque gelé. Il le prend dans ses mains pour le réchauffer, et lui trouver un endroit plus chaud. Tout en marchant, un de ses bovins laisse tomber une bouse brune et chaude. Le cultivateur décide de déposer l'oiseau dans cette substance moelleuse et chaude, et de poursuivre son chemin. Après un certain temps, l'oiseau se sentant mieux, se met à chanter. Dans le bois voisin, un renard l'entend chanter, s'avance sur la pointe des pattes, regarde si le cultivateur est assez loin, s'étire le cou, saisit l'oiseau, le secoue pour enlever ce qu'il y a de trop, et le dévore.

Voici donc les trois morales de cette histoire. La première, c'est que si quelqu'un vous place dans un endroit qui ressemble à de la merde, ça ne veut pas dire que c'est votre ennemi. La deuxième, c'est que si quelqu'un vous en sort sans que vous l'ayez demandé, ça ne veut pas nécessairement dire que c'est votre ami. Troisièmement, si jamais vous vous trouvez dans une situation qui ressemble à de la merde, ne vous plaignez pas, ne vous égosillez pas, travaillez pour vous en sortir vous-même!

Trois curés sont en journée d'études, et se parlent de ce qu'ils font avec leurs recettes de la semaine. Le premier dit: «Je trace un cercle sur le sol, je lance l'argent en l'air et je dis à Dieu: Ce qui tombe dans le cercle, c'est à Toi, ce qui tombe à côté, c'est à moi.» Le deuxième dit: «Moi je trace un carré sur le sol, je lance l'argent en l'air, et je dis à Dieu: Ce qui tombe dans le carré, c'est à Toi, ce qui tombe à côté, c'est à moi.» Le troisième dit: «Moi, je n'ai pas le temps de tracer quoi que ce soit sur le sol. Je lance tout l'argent en l'air et je dis: Garde ce que Tu veux, ce qui tombe, c'est à moi.»

Trois étudiants astronautes parlent ensemble. Le premier dit:

«Nous, les États-Unis, sommes toujours les premiers à avoir marché sur la Lune, en juillet 1969.»

Le deuxième dit:

– Nous, de Russie, nous planifions d'aller sur Jupiter, et même si ça prend encore plusieurs années, nous y arriverons.»

Le troisième, d'un autre pays, affirme avec joie:

– Nous, nous irons sur le Soleil.

Les deux autres disent:

– C'est impossible! Plus vous vous rapprocherez, plus vous grillerez.

– Non, nous y avons pensé. Nous irons de nuit.»

Un médecin est au chevet d'un malade. Il dit à l'épouse, en regardant le mari, très pâle: «Je n'aime pas son visage. Et elle d'ajouter: «Moi non plus.»

On fêtait un homme d'un certain âge pour souligner le premier jour de sa retraite. Un journaliste l'interviewait, lui posait beaucoup de questions quant à ses réalisations. Finalement, le journaliste lui demande:

– Pour avoir fait tout ce que vous avez fait, vous devez être très instruit.

Et notre type de dire:

– Non, j'ai à peine une troisième année.
– Mais comment se fait-il que vous ayez fait tout ça?
– Un jour, j'ai quitté l'école, après avoir redoublé encore et encore mes années scolaires. Le curé a demandé les services d'un bedeau. J'ai rempli le formulaire d'offre d'emploi, en insistant sur ma grandeur et ma force pour sonner les cloches et entretenir l'église. Le curé a rejeté ma candidature, a choisi quelqu'un d'autre, et c'est à ce moment que j'ai décidé d'aller en ville, de me lancer en affaires, et de prouver que j'étais capable de faire quelque chose.»

Alors le journaliste de dire:

– Imaginez-vous donc ce que vous auriez pu faire si vous aviez été instruit.
– Si j'avais été plus instruit, je serais peut-être encore bedeau!»

Un petit garçon et sa voisine sont en train de bavarder. Tout à coup, le petit garçon dit:

– Mon père est policier, et si tu es trop tannante, il te mettra en prison!»

La petite fille de dire:

– Ma mère est agente d'immeuble, et si tu es trop tannant, elle vendra ta maison.»

Un curé commence son sermon, en cherchant ses notes. Il découvre qu'il les a oubliées dans son bureau, et il commence quand même en avouant à ses paroissiens: «Je vous avais préparé tout un sermon. J'ai oublié mes notes. Je vais quand même faire mon possible, en me fiant au Saint-Esprit; mais soyez sans crainte, dimanche prochain, je ferai mieux.»

Deux petites puces savantes sont dans un cirque et travaillent très dur. L'une dit à l'autre: «Je suis fatiguée de travailler comme ça.» L'autre de répondre: «Continuons encore à ramasser de l'argent, et bientôt nous pourrons nous acheter un chien.»

Alors, pratiquez. Choisissez de devenir un bon conteur d'histoires. Prenez l'habitude de raconter des petites histoires drôles, courtes, convenables. Vous verrez que votre mémoire se développera.

Questionnaire

1- Aimez-vous entendre raconter de petites histoires?

2- Savez-vous que le rire est excellent pour la santé?

3- Savez-vous que pour retenir une histoire, il faut la raconter souvent, dans ses propres mots?

4- Aimeriez-vous que quelqu'un vous dise: «Raconte-nous une histoire!»?

Vous obtiendrez des résultats

Tout le monde (ou presque) devrait, un jour ou l'autre, créer son emploi, se lancer en affaires, devenir autonome, travailler chez soi, devenir «intrapreneur».

Qu'aurez-vous obtenu après avoir relevé des défis, assumé des risques, affronté l'imprévu?

Vous aurez appris à préparer votre futur, à investir pour plus tard, à planifier une retraite anticipée, pour mieux savourer la vie, comme un rentier a mérité ses rentes et les utilise pour mieux découvrir l'univers.

Vous aurez appris à mieux comprendre le fonctionnement de la vie économique, puisque le fait de créer une affaire est le principal moyen d'accroître la richesse d'une nation. Une personne acquiert aussi le goût de l'initiative, le sens des responsabilités, le désir de s'engager à fond, et de prendre sa vie en main sur le plan financier.

Vous aurez appris à mieux vous adapter avec patience, en travaillant dans un esprit d'équipe, avec des personnes qui ont assez de caractère pour penser à économiser en vue d'investir. C'est prouvé en biologie: un être vivant qui s'adapte, c'est un être vivant qui se prépare à mieux survivre.

Vous aurez appris à mieux affronter la réalité de la condition humaine, à gagner votre vie plus librement en faisant travailler votre argent et en faisant travailler l'argent des autres, c'est-à-dire l'argent des institutions prêteuses.

Vous aurez appris à bâtir votre confiance en vous-même, en acquérant des connaissances pour mieux réussir des transactions, en découvrant que plus on apprend, plus on peut apprendre, et ainsi atteindre un plus haut niveau de compétence et d'excellence.

Vous aurez appris à développer votre tolérance envers d'autres personnes qui viennent de milieux différents, malgré leur âge, leur occupation, leur scolarité, leur nationalité, leur pays d'origine, leurs croyances religieuses ou leur option politique.

Vous aurez appris à vous débrouiller, à vous tirer d'affaire, à inventer des solutions à des problèmes, à créer des moyens nouveaux de gagner votre vie selon votre style, à innover par votre façon de faire les choses à différents points de vue.

Vous aurez appris à cultiver la persévérance en faisant partie de groupes où les gens s'entraident pour terminer un travail commencé, pour trouver des moyens de mener à terme un travail d'équipe, et ainsi acquérir une plus grande stabilité intérieure.

Vous aurez appris à développer l'enthousiasme personnel tout en vivant l'enthousiasme d'un groupe en pleine évolution. La personne apprend par de multiples petits détails à mieux négocier son espace, à mieux travailler quotidiennement à son marketing personnel, à améliorer sa façon de s'exprimer avec spontanéité et originalité dans toutes ses démarches de communication et de vente, pour ainsi en arriver consciemment à rendre plus de services à la société, à vivre avec plus d'harmonie, d'efficacité, et en retirer un meilleur revenu, bien mérité. Et, par conséquent, à devenir plus heureux en trouvant du plaisir à travailler!

En bref, grandir pour mieux servir!

Questionnaire

1- Est-ce logique de vouloir apprendre à mieux investir?

2- Pourquoi devrait-on comprendre la vie économique?

3- L'esprit d'équipe est-il utile dans la vie?

4- En quoi l'argent aide-t-il à devenir réaliste?

5- Réussir des transactions aide à bâtir la confiance en soi: vrai ou faux?

6- Pourquoi devrait-on vivre avec plus de tolérance?

7- Est-ce que tout le monde a avantage à devenir plus créateur?

8- La persévérance donne-t-elle de la stabilité?

9- L'enthousiasme nous aide-t-il à négocier?

La volonté

Tous les êtres humains sont en affaires et les affaires, c'est la vie. Les hommes et les femmes de pensées et d'actions ont, à travers les siècles, reconnu l'existence de la liberté individuelle, donc du libre arbitre, de la volonté.

Nous avons donc la liberté de décider avec logique et jugement, ou de choisir avec intuition et créativité.

Ainsi, par exemple, fermez le poing de l'un de vos deux bras, levez ce bras à une certaine hauteur de votre choix, bougez-le vers la gauche, vers la droite. Si vous l'avez fait librement, vous avez une parcelle de la volonté universelle.

Que vous soyez en affaires ou en amour, que vous soyez entrepreneur ou «intrapreneur», que vous soyez fonctionnaire ou retraité, employeur ou syndiqué, vous êtes en affaires, dans les affaires de la vie, et vous devez utiliser et développer votre volonté.

Beaucoup de livres ont été écrits depuis des siècles concernant la volonté et les moyens de la développer. Voici quelques définitions. Si vous lisez ce texte avec moi actuellement, vous êtes comme moi un chercheur et vous êtes continuellement à la recherche des buts de la vie et de nouvelles façons d'en améliorer la qualité.

Selon moi l'acte de vouloir se divise en quatre étapes:

1- C'est de réfléchir, de discerner, de chercher toutes les possibilités d'un projet ou d'un problème, de demander conseil, de consulter des sources d'information et d'enseignement, de lire des volumes, de suivre des cours, de prier, et de méditer selon nos convictions personnelles.

2- C'est de prendre une décision avec le plus de logique possible en tenant compte des effets à court terme, à moyen terme et à long terme, ou encore de faire un choix par intuition et créativité en sachant qu'on ne pourra expliquer ce choix.

3- C'est de passer à l'action, de faire quelque chose, de poser un geste, de dresser une liste par écrit sur papier ou au traitement de texte informatique, et de numéroter les idées par ordre d'urgence, d'importance et d'utilité.

4- C'est de tenir, de persévérer avec la ferme détermination d'arriver à l'objectif en manifestant une expression énergique d'intention forte.

Nous devons tenir compte du fait que nous vivons toutes sortes d'émotions reliées à notre passé et au passé de toute l'humanité.

Ainsi, par exemple, la peur, la jalousie, l'envie, l'apitoiement, le doute, la critique, la colère font partie des mouvements intérieurs qui nous secouent comme le vent crée des vagues sur l'océan.

Ou c'est le hasard seulement qui détermine notre vie, ou bien nous en prenons l'entière responsabilité.

Et si vous me dites que vous n'êtes pas totalement responsable, aurais-je le goût de vous confier une clé ou même une simple enveloppe à poster.

Une femme est-elle enceinte seulement un peu ou totalement? Sommes-nous libres un peu ou totalement? Sommes-nous responsables un peu ou totalement?

Lorsque nous traversons une période de chaos ou un moment de crise, notre jugement se base sur notre mémoire et, grâce à tous les événements passés, crée une résistance au changement.

Par contre, notre intuition fait face au futur, crée du neuf, utilise l'imagination et favorise l'ouverture d'esprit, pour réaliser une vie qui n'a pas encore existé et qui n'a pas de copie parce qu'elle est unique.

Questionnaire

1- Sommes-nous un ordinateur avec deux options, oui ou non, un ou zéro, tout ou rien?

2- À l'intérieur de certaines limites, sentez-vous que vous avez la liberté de prendre des décisions et de faire des choix?

3- Préférez-vous vivre en liberté avec anxiété ou dans une prison avec sécurité?

4- Quelles différences faites vous entre l'instinct, l'imagination, l'intention et l'intuition?

5- Pouvez-vous consulter un dictionnaire?

La volonté (2)

Nous avons vu dans l'article précédent que nous sommes dotés d'une volonté libre, considérant certaines limites, et que nous sommes responsables de son développement. Mais pourquoi devons-nous travailler à la développer, cette volonté libre? Nous sommes portés à penser que le développement de la volonté appartient surtout aux moines de n'importe quel pays et de n'importe quelle religion.

Alors, pourquoi ceux qui doivent gagner leur vie dans le monde des affaires d'aujourd'hui, comme employeur ou employé, entrepreneur, créateur d'entreprise ou «intrapreneur», fonctionnaire ou retraité, étudiant ou enseignant, ont-ils besoin de penser à développer leur volonté?

Des experts ont affirmé que nous sommes uniques au monde, et que la probabilité qu'il y ait une autre personne exactement comme nous est de 1 sur 10 à la puissance 2 400 000. Comme nous ne pouvons imiter personne avec la certitude de bien agir, c'est angoissant de vivre et d'agir parce que nous ne sommes la répétition de personne; nous devons créer notre vie instant par instant.

De plus, ce qui vient compliquer les choses, c'est que nous éprouvons, à certains moments, des déchirements, des combats, des luttes sur un terrain brûlant, des crises, des moments de tension, des périodes d'urgence. Ainsi, Sigmund Freud disait que nous sommes tiraillés entre l'instinct de vie et l'instinct de mort; la théorie psychologique «Analyse transactionnelle» affirme que nous sommes coincés entre l'enfant que nous étions, qui veut s'exprimer, et les parents que nous avons eus, qui voulaient nous guider.

De plus, selon Alice Bailey, nous vivons régulièrement un combat intérieur entre l'ange de la présence, qui nous pousse vers le haut, et le gardien du seuil qui nous repousse vers le bas. William Shakespeare, dans ses mots, faisait dire à *Hamlet*: «To be or not to be». Molière, dans *Le Misanthrope*, plaçait Célimène dans une position de choisir entre Alceste qui tenait à la solitude, et Philinte qui aimait la multitude.

Vers 1950, un film a fait fureur car il illustrait cette idée de la lutte intérieure qui se livre en l'être humain. Ce film s'intitulait: «Docteur Jekill (qui était rempli de bonté) et M. Hyde (le nom qu'il prenait lorsqu'il se sentait rempli de malice)».

Vers 1965, une émission de radio, à Radio-Canada, le midi, était animée par le psychologue, Théo Chantrier. Le titre de l'émission était «Psychologie de la vie quotidienne» et le sous-titre: «Les difficultés de vivre avec soi-même et avec les autres». Vers 1970, une émission de télévision était populaire à Radio-Canada, le dimanche soir, connue sous le titre «Quelle famille», où Janette Bertrand et Jean Lajeunesse représentaient les parents qui, régulièrement, se disaient: «Qu'est-ce qu'on va faire?»

Voilà quelques-unes des raisons pour lesquelles nous devons régulièrement développer notre volonté, en prenant bien soin de suivre les quatre étapes mentionnées dans l'article précédent: réfléchir, choisir, agir, tenir; car très souvent nous sommes retenus – soit par la loi de l'inertie, qui nous porte à ne rien faire – ou encore par la peur d'agir, qui nous garde malheureux.

Et non seulement devons-nous préférer le bien au mal, mais encore nous devons préférer le mieux au bien, et ensuite le plus grand bien pour le plus grand nombre de personnes. Car le développement de la volonté a pour but de nous amener à grandir, à apprendre toujours dans le but de servir l'humanité. C'est ainsi que nous pouvons gravir la montagne de l'évolution, vivre des formes d'initiation pour faire valoir le tempérament, développer le caractère, et épanouir la personnalité, ce véhicule de l'âme.

Bien sûr, nous sommes en affaires pour gagner notre vie, et nous vivons pour prendre conscience que, quelle que soit notre fonction dans l'existence, dans ce monde des affaires, peu importe notre carrière, notre profession: le fait de gagner sa vie est un moyen par lequel nous apprenons à mieux nous connaître, à renforcer et développer notre volonté dans le but de mieux servir les autres et d'améliorer le service à la clientèle.

Questionnaire

1- Éprouvez-vous, vous aussi, des moments de combat intérieur?

2- Vivez-vous parfois des moments encore pires, des crises existentielles?

3- Vous arrive-t-il de vous poser la question: «Qu'est-ce que je vais faire?»

4- Pouvez-vous considérer que l'humanité en général est votre clientèle, et qu'en affaires, c'est important de bien servir sa clientèle?

5- Que pensez-vous de l'idée suivante: nous ne sommes pas des êtres matériels qui faisons des expériences spirituelles, nous sommes des êtres spirituels qui faisons des expériences matérielles?

La volonté (3)

Nous sommes tous en affaires, et les affaires, c'est la vie. Nous sommes en vie et nous devons régulièrement prendre des décisions et faire des choix. Nous luttons régulièrement entre l'instinct de vie et l'instinct de mort, et nous cherchons tous des moyens de développer notre volonté et notre liberté.

Des centaines de volumes ont été écrits par autant de philosophes depuis que l'imprimerie existe. Mes observations, mes études et mes expérimentations me permettent de vous suggérer 10 techniques pour développer votre volonté, votre liberté, et, par le fait même, votre sens des responsabilités.

1- Devenir observateur de la vie, des autres et de nous-même, comme si nous étions un spectateur dans un théâtre. Pratiquer le détachement. Être détaché du monde physique, intellectuel, émotif et spirituel, voire même, être détaché du détachement. Par exemple, ne pas chercher à avoir raison pour le seul plaisir d'avoir raison.

2- Cultiver le contentement: vivre dans la joie, être satisfait de son sort. Chercher à s'améliorer, mais doucement comme une plante qui pousse selon son rythme, en fournissant des efforts sans effort.

3- Pratiquer l'innocuité, c'est-à-dire le souci de ne nuire à personne, ni en pensées, ni en paroles, ni en actions. S'exercer à la non violence envers tout être vivant. Vivre avec douceur et acceptation inconditionnelle de notre entourage.

4- Vivre le «comme si»: comme si nous étions déjà en possession de tous nos moyens. Créer en imagination l'être que nous voulons devenir comme si nous l'étions déjà.

5- Exister horizontalement, c'est-à-dire réussir sa vie matérielle dans la société où l'on vit, et verticalement, c'est-à-dire réussir sa vie spirituelle en devenant de plus en plus conscient de toutes les énergies qui animent l'univers.

6- Rendre ce service quotidien là où l'on est avec les gens qui sont là. Car nous avons le choix d'être altruiste par égoïsme ou égoïste par altruisme.

7- Établir de justes relations humaines, avec rigueur et respect. Être capable d'aider les autres, mais les laisser apprendre les leçons nécessaires à leur progrès et faire confiance à leur âme. Stimuler les gens, pousser le monde vers l'avant. Vivifier tout ce qui vit: les plantes, les animaux, les êtres humains. Respecter nos obligations, accomplir notre devoir, assumer nos responsabilités comme un élément de formation personnelle.

8- Visualiser la divine indifférence: vivre comme si nous étions Dieu qui nous regarde, qui nous laisse faire et qui accepte nos bons coups comme nos mauvais coups, nos bonnes décisions comme nos mauvaises décisions, nos bons choix comme nos mauvais choix. Pratiquer le discernement, le calme, la logique, le bon sens, la prudence.

9- Démontrer de la discipline personnelle par un bon usage de notre temps: affronter tout ce qui nous arrive. Aller de l'avant, vers le futur, avec confiance. Apprendre, étudier, comprendre, découvrir le sens caché des choses. Enflammer l'avenir.

10- Éprouver la prière, une invocation, où l'on demande surtout de devenir de plus en plus conscient de la vie, et faire de la méditation, une évocation, où l'on devient réceptif pour accueillir les énergies, en vue de devenir un être de plus en plus utile à son semblable.

L'éducation, c'est l'apprentissage de la liberté, la formation de la volonté et le développement du sens des responsabilités. Non seulement l'éducation est-elle la majeure partie des connaissances qu'on reçoit à l'école, mais elle constitue aussi l'apprentissage continu de toute une vie pour former notre volonté, notre liberté. Donc, contrôlons nos pensées car l'énergie suit la pensée. Prononçons des paroles qui bénissent, posons des actions qui construisent et développons régulièrement, continuellement et progressivement la volonté de vivre et de grandir, d'être et d'évoluer, d'aimer et de créer, d'organiser et de persister.

Questionnaire

1- Quelle différence faites-vous entre se discipliner et faire des sacrifices?

2- Comment peut-on pratiquer le contentement dans la vie actuelle?

3- Croyez-vous que le service est comme un boomerang: qu'il revient vers nous?

4- Quel philosophe a déjà écrit: «Persévérer, c'est recommencer souvent»?

5- Avez-vous déjà fait l'expérience de vous reprogrammer pour faire montre d'une plus grande discipline, d'une plus grande volonté et d'une plus grande liberté?

Améliorez votre communication

Pour peu qu'on le sache, deux roches ne communiquent pas ensemble. Deux fleurs communiquent peut-être, par leurs mouvements et leur odeur. Deux oiseaux communiquent un peu plus, la plupart du temps inconsciemment, par la voix, le geste, l'instinct. Et les êtres humains ont besoin régulièrement de communiquer, de comprendre, de se faire comprendre, et d'en retirer une satisfaction sur les plans professionnel, personnel, intellectuel, affectif et spirituel.

Voici quelques réflexions à ce sujet:

1- Clarifiez votre pensée. Réfléchissez avant de parler. Établissez un plan de votre communication verbale ou écrite.

2- Choisissez vos mots de façon à éviter les erreurs. Prenez soin d'utiliser des mots que l'autre comprendra, de façon à ce que vous puissiez transmettre un message que l'autre pourra décoder. Ainsi, par exemple, dans la communication entre deux modems, celui qui est le plus vite s'adapte toujours à celui qui est le moins vite, et non l'inverse.

3- Parlez clairement et distinctement. Si vous avez un accent et que vous parlez lentement et clairement, votre interlocuteur pourra mieux décoder votre message.

4- Apprenez à écouter de mieux en mieux. Nous avons tous appris à lire, écrire, compter et parler, mais peu de personnes nous ont fait penser aux avantages de bien écouter avec attention. Si nous sommes dans la vente, c'est la seule façon de découvrir les besoins, les moyens, les désirs et les souhaits du client.

5- Encouragez l'autre personne à parler, par vos mouvements de tête, le contact des yeux, vos questions, et la chaleur de votre cœur. N'interrompez pas, ne contredisez pas, ne manipulez pas, soyez à l'écoute d'une façon active, cherchez la vérité.

6- De même que vos oreilles décodent le verbal, ainsi vos yeux et votre cœur décodent le non-verbal. Soyez attentif aux expressions du visage, aux gestes, au ton de la voix, et à n'importe quel signe porteur d'une signification.

7- Soyez complètement et entièrement présent à l'autre. Autrement, vous êtes comme quelqu'un qui laisse fonctionner la télévision et qui s'en va dans l'autre pièce pour faire autre chose. Restez là, avec l'autre.

8- Prenez des notes pendant, avant ou après la conversation, de façon à ce que vous puissiez conserver des traces de ce que vous avez dit et de ce que l'autre personne a dit.

9- Concentrez-vous sur les idées, pas seulement sur des émotions. Essayez de comprendre ce que votre interlocuteur désire. Posez des questions, amenez-le à préciser ses désirs, ses besoins, et à prendre une décision conforme à ses attentes et à ses possibilités.

10- Vérifiez si vous le comprenez bien et si, de son côté, l'autre personne vous comprend bien. Et soyez confiant: l'autre peut grandir encore.

Deux êtres humains peuvent communiquer sur les plans physique, intellectuel, affectif et spirituel, en étant présents et attentifs à l'autre. Chacun lui laissant le soin d'être autonome, adulte, responsable de ses réactions et de son cheminement personnel.

Questionnaire

1- Pouvons-nous apprendre à mieux communiquer?

2- Pouvons-nous chercher à mieux découvrir la réalité?

3- Pouvons-nous accepter la réalité telle qu'elle est?

4- Pouvons-nous penser que les êtres humains peuvent apprendre?

Son cerveau, sa cervelle

Lorsque nous sommes en affaires, nous traitons régulièrement avec des clients et des clientes, avec des collaborateurs et des collaboratrices, avec des patrons et des patronnes, avec des employés et des employées. Nous sommes souvent étonnés de voir que les hommes et les femmes ne réagissent pas toujours de la même façon, et nous nous demandons pourquoi. Et nous nous questionnons aussi à savoir si nous sommes corrects ou si les autres le sont.

Comme l'un des buts de la vie est de toujours pouvoir chercher à améliorer la qualité de nos relations humaines, il est bon de comprendre la motivation des gens avec qui nous faisons affaire. En me basant sur mes 40 années d'observations, d'études et d'expérimentations dans le monde des associations, de l'entreprise et de la formation, je vous propose une réflexion sur 25 caractéristiques de l'homme et de la femme d'aujourd'hui.

C'est impossible de séparer les êtres humains en deux catégories. Je crois cependant qu'avec une infinité de nuances, 80% des gens peuvent se classer dans l'une des 2 catégories que nous allons étudier. Naturellement, rien n'est totalement noir ou totalement blanc, tout contient de multiples teintes de gris.

1- Il est intéressé par la science; elle est attirée par les arts.

2- Il oriente l'univers vers lui; elle, vers les autres.

3- Il aime le rêve; elle adore la réalité.

4- Il préfère une sorte de dépendance; elle recherche toujours l'autonomie.

5- Il est attiré par l'aventure; elle, par les responsabilités.

6- Il a besoin de temps; elle a besoin d'espace.

7- Il préfère la terre et le feu; elle, l'air et l'eau.

8- Il est attiré par le risque; elle, par la sécurité.
9- Il est porté à la dépense; elle est portée à l'économie.
10- Il hésite toujours dans ses décisions; elle aime l'engagement de soi et de son homme.
11- Il préfère comme amies les femmes; elle, les hommes ou les femmes.
12- Quand il fait de l'humour, c'est au sujet des autres; elle, au sujet de la vie.
13- Il aime la concurrence; elle cherche toujours à être la première et la vedette.
14- Il se satisfait de la routine; elle est attirée par la variété et le changement.
15- Il aime résoudre les grands problèmes; elle préfère perfectionner les détails.
16- Il est touché par les choses; elle, par les personnes.
17- Il veut faire l'amour avant de faire la paix; elle préfère faire la paix avant de faire l'amour.
18- Il est touché par les idées; elle est touchée par les sentiments.
19- Il veut faire preuve de force; elle, de douceur.
20- Il a besoin d'action; elle a besoin d'être choyée.
21- Il peut travailler dans le désordre; elle a besoin d'ordre.
22- Il veut être admiré pour ce qu'il fait; elle veut être admirée pour ce qu'elle est.
23- Il se satisfait d'être seul; elle est satisfaite avec d'autres personnes.
24- Il pense souvent à plus tard; elle pense à maintenant.
25- Il voudrait être partout; elle accepte d'être ici.

Nous constatons, dans ce domaine comme dans d'autres, la dualité de l'existence humaine et les contradictions intérieures propres à chaque personne. Chacun de nous possède les deux composantes fondamentales de l'homme comme de la femme. Dans cette optique, chacun est un peu lui et un peu elle, et nous constatons chacun à notre manière l'unité de la vie, de l'être et de l'énergie. Que nous soyons en affaires ou en amour, acceptons l'autre sans condition, avec ses forces et ses faiblesses, et cherchons à négocier des compromis pour conclure des ententes fructueuses, constructives et heureuses.

Questionnaire

1- Est-ce que l'hérédité seule crée cette différence de comportements?

2- Est-ce que le milieu y est pour quelque chose?

3- Et la volonté, peut-elle contribuer à développer les forces et corriger les faiblesses?

4- Quoi d'autre?

Comment donner des conseils

Lorsque nous sommes en affaires, comme entrepreneur ou «intrapreneur», comme chef d'entreprise ou chef de section, comme employeur ou employé, il nous arrive tous un jour ou l'autre d'entendre les confidences de quelqu'un, et de chercher des réponses à leurs questions.

En effet, plusieurs d'entre nous, devant certains problèmes ou certains projets, demeurent indécis pendant un certain temps et sont portés à demander conseil en vue de continuer leur chemin avec plus d'assurance. Je pense qu'il est important de pouvoir donner un point de vue pour amener quelqu'un à trouver ses propres solutions à ses problèmes, pour que cette personne retrouve l'audace d'avancer et assume la totale responsabilité de ses décisions.

Voici quand même quelques suggestions qui pourraient peut-être vous aider à devenir un meilleur conseiller auprès des gens qui vous entourent. Cependant, lisez ceci et ensuite, faites à votre tête: allez-y selon vos propres choix.

1- Gardez l'esprit ouvert. Soyez prêt à tout entendre sans bloquer la conversation par des réactions négatives, un soupir désastreux, un haussement d'épaules négatif, un regard sévère. Soyez un observateur attentif, un spectateur neutre.

2- Soyez très prudent dans vos questions, dans vos réponses, dans vos suggestions, dans vos recommandations.

3- Faites preuve de patience, de tolérance, de compréhension, d'accueil, et d'ouverture d'esprit; car l'autre ne peut pas toujours trouver facilement les mots exacts pour décrire la réalité de ses expériences.

4- Amenez la personne à se regarder elle-même comme dans un miroir. Nous cherchons tous à bien découvrir la vérité, la réalité. Cependant, nous avons de la difficulté à voir les choses telles qu'elles sont et la vie telle qu'elle est. Cultivez l'art de poser des questions et amenez l'autre à trouver lui-même les réponses à chaque question. Incitez-le à se raconter lui-même les événements de sa vie et à se les expliquer, car chacun doit sculpter sa propre statue avec liberté, c'est-à-dire en faisant l'apprentissage de la liberté.

5- Posez des questions qui ne contiennent pas de réponse, posez des questions objectives, posez des questions comme si vous étiez un robot qui ne juge pas, qui n'interprète pas, qui n'influence pas; car n'oubliez pas: l'autre cherche à devenir un adulte réaliste, autonome, responsable et équilibré.

6- Rappelez-vous que la plupart des gens ont de la difficulté à pardonner aux personnes qui, dans le passé, ont pu, volontairement ou involontairement, causer des chocs affectifs. Votre rôle est d'aider la personne à plonger dans l'avenir, corps et âme, jusqu'au bout, vers des buts qu'elle s'est choisis. Recommandez à chaque personne qui vous consulte de bien prendre le temps de réfléchir seule pendant quelques jours en considérant chaque point de vue de son problème, jusqu'au matin où, en s'éveillant, elle découvrira plus de clarté dans ses affaires pour agir calmement et fermement, avec confiance et enthousiasme, vers les meilleures solutions, en se fiant d'abord et avant tout à elle-même et à ses propres forces, avec la ferme intention de persévérer malgré les pires difficultés; car tous les êtres humains, pour progresser, ont besoin de surmonter des épreuves, comme des élèves dans un collège ont besoin de subir des examens pour prouver qu'ils ont acquis de l'expérience et des connaissances.

7- En procédant ainsi, vous ne parlerez qu'environ 20% du temps, vous serez vraiment à l'écoute, vous ne prendrez aucune décision pour l'autre, et vous lui donnerez un élan nouveau pour qu'elle puisse repartir elle-même vers la conquête d'une paix intérieure, et, ce faisant, vous aurez une nouvelle expérience, vous aurez fait quelques pas de plus vers une meilleure connaissance de vous-même, et vous aurez fait grandir en vous un heureux mélange de fierté et d'humilité. De plus, vous aurez rendu service!

Efforcez-vous toujours de mériter cette phrase que quelqu'un prononçait au sujet de Winston Churchill: «On ne peut pas le quitter sans se sentir beaucoup plus brave.»

Questionnaire

1- Êtes-vous capable de conserver fidèlement les confidences que l'on vous fait?

2- Pouvez-vous garder le secret professionnel?

3- Savez-vous être impartial?

4- Conseillerez-vous quelqu'un avec objectivité?

5- Combien d'années décisives vous reste-t-il?

L'impact d'une promotion

Il ne suffit pas de fabriquer un bon produit ou d'offrir un bon service. Il faut le faire connaître. En effet, vos clients potentiels ont besoin de savoir que vous existez et que vous offrez quelque chose d'utile, d'avantageux et de profitable. C'est donc à vous de vous faire connaître et de faire savoir ce que vous faites, que ce soit comme entrepreneur en dehors de chez vous, ou comme «intrapreneur» à l'intérieur d'une entreprise où vous offrez vos services, vos idées et votre collaboration.

Voici quelques réflexions:

1- Établissez votre marché, les gens qui peuvent avoir besoin de vos idées, de votre collaboration, de vos services, et approchez-les. Trouvez les façons de leur communiquer ce que vous avez à leur dire.

2- Fixez-vous des buts et tracez des plans pour y arriver. Pensez en même temps court terme, moyen terme et long terme. Lorsque vous avez un but et un plan, un champ de magnétisme se développe autour de vous et les circonstances favorables s'approchent et contribuent à la réalisation de ce que vous avez rêvé. Comme on dit en informatique: «What you see is what you get»; ce que vous voyez dans votre cerveau a des chances de se réaliser dans votre vie.

3- C'est mieux de faire une promotion ordinaire que de ne pas en faire du tout. L'important, c'est d'être là, dans le marché, pour que les gens puissent parler de vous. Et soyez persévérant, soyez régulier. C'est mieux d'avoir une petite annonce régulière qu'une grande annonce de temps à autre. Et quand vous trouvez un bon slogan, répétez-le: la répétition est la meilleure façon de mémoriser quelque chose pour une autre personne ou pour soi.

4- Efforcez-vous d'être le premier en action! Les gens associent souvent le meilleur avec le premier. Quand un cheval gagne une course par une tête, et remporte ainsi un prix qui vaut trois fois le prix du second, ça ne veut pas dire qu'il est trois fois meilleur, mais il a gagné, même si ce n'est que par une tête.

5- Créez une image de professionnalisme. Sans image, vous êtes un mirage. Dans tout ce que vous faites, vos gestes, vos paroles, vos vêtements, votre papeterie, donnez l'image d'un professionnel. Ça ne veut pas dire qu'il faut dépenser au maximum, ça veut dire qu'il faut investir avec sagesse.

6- Par votre imagination, créez ce qui vous démarque, et faites-le savoir par la répétition. Quel que soit votre domaine, montrez en quoi vous êtes unique, et en quoi votre proposition de vente est unique par rapport à celle de tous les concurrents dans votre domaine et dans d'autres domaines. La plupart des acheteurs prennent leur décision en faisant des comparaisons. Et n'oubliez pas: le client achète ce que le produit fait pour lui et non pas pour vous. Montrez en quoi vous êtes unique. Et n'oubliez pas qu'il existe deux réalités: l'image que vous projetez et l'image que les autres perçoivent de vous; c'est celle-ci qui est la bonne pour vos clients. Ils se basent sur l'image perçue. Ayez de la classe, de la qualité, du professionnalisme.

7- N'ayez pas peur de parler de vos résultats, de vos réussites, de vos activités.

Souvenez-vous que l'important, ce n'est pas ce que l'on sait, c'est ce que l'on fait avec ce que l'on sait. Ce qui compte au point de vue connaissances, ce n'est pas le nombre d'années de scolarité, c'est le bagage de connaissances que nous avons acquises au cours de notre vie par l'observation, l'étude et l'expérience.

Questionnaire

1- Puisque vous êtes unique dans votre être, pouvez-vous être unique dans votre publicité?

2- Pouvez-vous parler de vous en termes d'avantages pour vos clients?

3- Dans votre milieu de travail, pouvez-vous penser que vous êtes le client de vos collègues et que vos collègues sont vos clients?

4- Si vous ne dites pas ce que vous pouvez faire pour les autres, pensez-vous qu'ils peuvent le deviner?

5- Une partie de votre avenir dépend de votre promotion! Vrai ou faux?

La force d'un bon appel téléphonique

Sauf exception, nous avons tous à gagner notre vie. Que nous soyons en affaires ou en amour, que nous soyons entrepreneur ou «intrapreneur», nous avons besoin de communiquer nos opinions à d'autres personnes de façon à toujours apprendre à mieux négocier, à mieux dialoguer, pour gagner notre vie tout en rendant service. Et aussi pour rendre service tout en gagnant notre vie.

Par contre, plusieurs d'entre nous ont une certaine réticence au téléphone, faute de voir la personne avec laquelle nous nous entretenons, et faute de ne pas pouvoir décoder le non-verbal. Voilà pourquoi il est important de développer certaines habiletés pour mieux téléphoner. Voici quelques réflexions:

1- Préparez-vous. Fixez-vous des objectifs pour cet appel téléphonique. Tracez-vous un plan, même si vous ne le suivrez pas parfaitement. Définissez comment vous commencerez, vous continuerez et vous terminerez.

2- Cherchez à contrôler la conversation en posant des questions ouvertes ou des questions fermées. Si vous vous faites poser une question, répondez et ensuite posez tout de suite une autre question.

3- Allez droit au but rapidement. Soyez bref. Ne prenez pas de détours inutiles.

4- Imaginez toujours que l'autre interlocuteur au bout du fil est votre client. Parlez-lui de ce qui l'intéresse. Amenez-le à préciser ses objectifs, ses buts, ses désirs et ses aspirations.

5- Dès le départ, créez un climat de confiance. Trouvez quelque chose en commun avec cette personne: un événement, un enfant, une grande personne, un client, un voyage ou un volume.

6- Parlez de votre entreprise, de vos services, de vos clients, de vos fournisseurs ou de vous.

7- Quand vous parlez de vos produits ou de vos services, ne faites pas que les décrire, mais parlez aussi des avantages que les gens découvriront en utilisant vos produits ou vos services.

8- Souvenez-vous toujours que les gens n'achètent pas une chose, ils achètent ce que la chose fait pour eux.

9- Acceptez toujours les objections comme étant des demandes d'informations supplémentaires. Dites des choses comme: «Ça, c'est une bonne question».

10- Quand c'est possible, vendez l'idée d'un rendez-vous, d'une rencontre.

11- Soyez attentif à des phrases qui peuvent indiquer que l'autre personne est prête à accepter votre idée et à l'acheter.

12- Demandez à l'autre personne de poser une action.

Bref, passez à l'action immédiatement, faites quelque chose tout de suite. Prenez une note, envoyez une télécopie. La rapidité, la ponctualité et la loyauté sont des signes d'efficacité et des sources de confiance. N'oubliez pas de dire souvent: «Je vous comprends», «Merci beaucoup», «S'il vous plaît», «Bonjour».

Questionnaire

1- Parlez-vous?

2- Parlez-vous au téléphone?

3- Est-ce que des gens veulent vous vendre des idées au téléphone?

4- Est-ce que vous pouvez un tant soit peu développer vos habiletés à vendre vos idées au téléphone?

5- Pouvez-vous parler au téléphone comme si vous étiez en train de sourire?

Cinq idées pour trouver des acheteurs

Nous entendons souvent répéter que, de nos jours, il y a trop de produits à vendre pour chaque acheteur. C'est donc important que vous puissiez vous concentrer pour mieux réussir.

1- Pensez avec confiance et surmontez toutes vos peurs. Chaque jour, des gens déboursent de l'argent pour acheter des produits ou des services. Alors, soyez positif en pensées, en paroles et en actions, prenez soin de votre santé, ménagez votre énergie, priez, méditez, et attirez à vous les acheteurs de toutes sortes. Dites-vous que, même pendant la grande dépression de 1930, des produits ont été vendus à des acheteurs. L'énergie suit la pensée. Pensez fort! Voyez grand! Réfléchissez souvent!

2- Parlez avec enthousiasme et surmontez vos soucis. Nous avons tous des préoccupations. Nous pensons à hier et à demain, et nous nous inquiétons de l'avenir. C'est normal. Cependant, vos soucis ne sont pas les soucis de vos clients. Vos clients ont besoin d'espérance et d'optimisme. Ils veulent acheter. Développez à l'intérieur de vous un sentiment profond que les bons moments reviendront, que la prospérité se manifestera et qu'un futur meilleur est en préparation. Parlez avec enthousiasme à vos clients. Faites-leur voir non seulement les caractéristiques précises et logiques de la transaction, mais encore et surtout les avantages tangibles et intangibles de toutes les caractéristiques. Soyez heureux d'être vivant et de pouvoir faire face à chaque problème comme étant un défi important pour développer vos talents et acquérir de l'expérience.

3- Agissez avec décision et surmontez le doute. C'est l'action, encore l'action, toujours l'action qui sauvera le monde et qui vous rendra prospère, tout en rendant service à vos clients acheteurs et vos clients vendeurs. Préparez-vous, étudiez chaque cas avec attention. Faites vos devoirs à la maison. Arrivez devant votre client toujours bien préparé. Présentez bien vos dossiers. Complétez toujours une analyse comparative du marché.

Utilisez bien votre temps. Inscrivez vos rendez-vous sur votre agenda. Gardez-vous du temps libre chaque jour pour l'imprévu. Répétez-vous souvent que si vous avez pu vous rendre jusqu'à aujourd'hui, vous pourrez facilement triompher du lendemain. Vivez un instant à la fois dans l'instant présent. Et rappelez-vous que le téléphone est là seulement pour prendre des rendez-vous, et que la vraie vente se fait de visu, les yeux dans les yeux. Ayez la fierté de rendre service: que votre récompense monétaire soit le résultat de vos efforts pour bien servir votre clientèle. Soyez tenace! Soyez persévérant!

4- Vivez en harmonie avec le plus de monde possible et surmontez votre timidité. Posez des questions. Écoutez avec vos oreilles pour décoder le verbal et percevez avec vos yeux pour décoder le non-verbal. Pratiquez l'écoute active. Posez d'autres questions et écoutez les réponses. Adaptez-vous rapidement à toutes sortes d'acheteurs. Parlez le langage de vos clients. Sentez-vous aussi heureux de rendre service à un petit acheteur qu'à un client d'entreprise.

Et quand vous présentez une proposition, ne diminuez jamais la concurrence. Chacun a besoin de se sentir respecté et de constater qu'il fait une bonne affaire en achetant de vous. Chaque fois où vous rencontrez une nouvelle personne, empressez-vous de créer un climat de confiance. Racontez un fait vécu par vous-même et soyez prêt à écouter attentivement le fait vécu que vous racontera l'autre personne. Vous avez survécu en vous adaptant; continuez à vous adapter et vous survivrez!

5- Négociez avec efficacité et surmontez le trac. Respirez profondément et souvent. Laissez toujours vos deux pieds sur le plancher. Gardez votre colonne vertébrale droite. Laissez vos coudes bien appuyés sur votre chaise et regardez votre client dans les yeux sans toutefois le fixer comme si vous vouliez l'hypnotiser. Ayez un dossier bien étoffé. Sachez que le client achète pour ses raisons et non pour les vôtres. Il n'achète pas le produit, il achète ce que le produit fera pour lui. Calculez d'avance ce que l'acheteur obtiendra comme résultat. Pensez souvent à votre client et parlez-lui rapidement de ce qui l'intéresse. Négociez pour que les deux soient gagnants! Demandez de passer la commande! Provoquez la décision d'acheter!

Et surtout, dites à tout le monde que vous cherchez des acheteurs, que c'est le temps d'acheter car les prix sont bas et les taux d'intérêt raisonnables. Répétez souvent que les grandes fortunes se sont érigées quand les acheteurs ont profité d'un temps de récession pour acheter. Dites à qui veut l'entendre que vous êtes un as pour bien présenter une proposition d'affaires, et faites savoir à tout le monde que vous avez la créativité requise pour inventer rapidement des solutions à des problèmes de financement.

Multipliez vos contacts auprès des banquiers, des courtiers en prêts hypothécaires, des détenteurs de capitaux, de façon à ce que jamais une transaction ne puisse échouer pour un problème d'argent. Persuadez l'acheteur que vous le comprenez. Agissez toujours rapidement, méthodiquement, régulièrement. Tenez parole. Soyez toujours de bonne foi. Soyez ponctuel à vos rendez-vous. Livrez toujours la marchandise. Faites-vous connaître comme un conférencier capable de prononcer une causerie de 20 minutes devant n'importe quel club social pour faire valoir vos services. Pensez marketing, communication, marketing!

En résumé, motivez-vous et soyez un motivateur. Répandez la bonne nouvelle que la récession passe et que c'est le temps d'acheter. Soyez sincère, optimiste, positif et enthousiaste. Et s'il le faut, spécialisez-vous en devenant le conseiller de l'acheteur: faites-vous donner un mandat d'acheteur, représentez l'acheteur, faites-vous connaître comme un spécialiste d'acheteurs et vous serez surpris des résultats.

Questionnaire

1- Est-ce que la confiance se développe par l'expérience et la persévérance?

2- Qu'est-ce qui est le plus rentable: l'enthousiasme créé par un bon résultat ou le bon résultat créé par l'enthousiasme?

3- Est-ce possible que l'action nous fasse peur seulement car nous ne connaissons pas l'avenir?

4- Si vous avez survécu jusqu'à ce jour, pourrez-vous affronter demain?

Avez-vous fait de l'argent aujourd'hui?

Oui, je le redemande: avez-vous fait de l'argent aujourd'hui? Avez-vous pensé à faire quelque chose qui vous rapporterait de l'argent aujourd'hui? C'est entendu que nous avons tous besoin de vivre; pour vivre, nous avons besoin d'acheter de la nourriture, des vêtements, de se procurer un logement; nous avons besoin d'argent. Quelle que soit notre situation actuelle, employé ou employeur, en chômage ou handicapé, nous nous devons à nous-même de développer nos talents, de stimuler notre créativité et de nous demander si aujourd'hui, nous pourrions être un peu plus utile à chacune des personnes que nous rencontrons.

Chacun est une sorte de client qui achète le produit de notre travail. Qu'arrive-t-il à une entreprise qui perd ses clients? Elle doit fermer ses portes. Qu'arrive-t-il à un employé dont l'employeur ne veut plus acheter le travail ou les services? Il perd son salaire et il devient chômeur. C'est donc important de nous demander: «Est-ce qu'aujourd'hui j'ai fait quelque chose de payant – c'est-à-dire quelque chose de vraiment utile aux autres – aux points de vue des idées, de l'efficacité, du contact affectif intéressant, incluant le sourire, la politesse, la bonne humeur? Est-ce que j'ai fait des efforts aujourd'hui pour que mes produits soient bien emballés, pour que je sois une personne digne de la présence des autres quant à ma propreté, mon langage, l'apparence de mes vêtements, quant à la propreté de mes cheveux, de mon visage, de mes mains?»

En d'autres mots, est-ce que j'offre un produit de qualité que les autres sont enclins à acheter? Est-ce que mon produit est bien emballé? Est-ce que mes clients sont intéressés à se le procurer régulièrement?

Pourquoi mettre l'accent aujourd'hui sur l'argent? Car quand nous manquons d'argent, nous sommes prisonniers de l'argent que nous n'avons pas, nous ne pouvons pas consacrer nos énergies à faire autre chose que de penser à l'argent. Quand nous avons assez d'argent de côté, lorsque nous avons réussi à économiser en achetant mieux et à épargner en achetant moins, nous avons une certaine réserve, et ainsi nous pouvons consacrer du temps à améliorer nos talents, à développer nos capacités et améliorer notre sécurité.

C'est un peu comme lors de la construction d'une maison: quand nous avons construit les fondations de la maison, les murs et le toit, nous pouvons ensuite la décorer. Lorsque nous avons assez d'argent, nous avons le temps de lire davantage, de nous cultiver davantage, de prendre soin davantage de nos amis, de notre famille, de la société, et de développer un sentiment de présence à l'univers, une prise de conscience agrandie du monde visible et invisible, du monde matériel, humain et spirituel.

L'argent ne doit pas être un but, mais un moyen qui nous permet d'aller plus loin, de nous sentir humain et libre dans le choix de nos options sur le plan physique, matériel, financier, social, familial, intellectuel, créatif, scientifique et artistique.

Bien entendu, ce n'est pas l'argent qui fait le bonheur, c'est l'attitude que nous avons vis-à-vis l'argent. Quand nous en manquons, nous risquons de nous sentir inutile, désuet, désavantagé et faible. Quand nous en avons assez, nous avons l'occasion de nous sentir un peu plus fort, un peu plus courageux, un peu plus brave, un peu plus assuré de faire face à toutes les incertitudes de la vie, à tous les imprévus que les circonstances nous présentent. C'est donc important d'être économe dans nos achats, d'épargner régulièrement, d'avoir toujours un «coussin», une réserve devant soi, bien placée, pour qu'ensuite nous puissions être plus dégagé dans nos options et développer notre cerveau sur le plan de la logique, de l'invention et de l'intuition.

Et je pose de nouveau cette question: avez-vous fait de l'argent aujourd'hui? Non pas comme un but en soi, mais comme un moyen d'aller plus loin, plus haut, plus vite?

Avez-vous fait de l'argent aujourd'hui?

Questionnaire

1- Est-ce que la santé dépend seulement de l'hérédité et du milieu?

2- Est-on responsable de sa santé?

3- Pouvons-nous penser que la santé est un actif?

4- Peut-on raisonnablement choisir d'ajouter de la vie à nos années et des années à notre vie?

5- Pourquoi est-ce payant de prendre soin de sa santé?

Réglez vos problèmes financiers

Toutes les petites entreprises ont des problèmes financiers à l'occasion. Sans que l'entreprise soit pauvre ou en difficulté, elle peut vivre un moment où elle manque quelque peu de liquidités. Alors, il faut réfléchir et réviser certains points. Voici les dix principaux:

1- Vérifiez le coût de l'emprunt. Quand vous demandez un prêt, vous devriez connaître exactement le coût de l'intérêt. Récemment, une entreprise a acheté des appareils importants pour le bureau et elle avait le choix entre payer comptant ou payer par versements mensuels répartis sur 5 ans. En calculant le taux d'intérêt – dont l'entreprise n'avait pas été clairement informée – on découvrit que celui-ci était de 27%. Avant d'emprunter ou d'acheter à crédit, demandez-vous toujours: «Quel sera mon taux d'intérêt?»

2- Combien devez-vous actuellement? Avez-vous déjà fait la liste, à une date précise, de tout ce que vous devez, quelle est l'ampleur de vos dettes: hypothèque, carte de crédit, versements sur l'automobile, versements sur divers autres emprunts, marge de crédit, etc. Précisez la date à laquelle vous aurez réglé entièrement toutes vos dettes en faisant le total et en évaluant selon les sommes allouées pour les paiements. Disciplinez-vous et rebâtissez votre crédit comme si vous repartiez de zéro.

3- Vérifiez auprès des entreprises à qui vous devez de l'argent – votre banquier, certaines sociétés de financement, ou d'autres personnes – et informez-vous à savoir comment vous pourriez économiser en rendant plus vite le montant de vos emprunts. Vous serez étonné de voir jusqu'à quel point votre force de volonté augmentera votre force de volonté et, en même temps, vous rehausserez votre réputation si vous réussissez à régler plus rapidement toutes vos dettes.

4- Vérifiez toujours le coût réel d'emprunt. C'est entendu qu'à l'occasion, une personne ou une entreprise peut emprunter et faire de l'argent avec l'argent des autres. Cependant, il faut toujours s'informer du taux d'intérêt réel. Comment calculer ce taux d'intérêt réel? C'est le taux d'intérêt moins le taux d'inflation. Par exemple, en 1987, le taux d'intérêt était élevé (21 %), le taux d'inflation aussi (18 %), mais le taux réel était bas (3 %). Par contre, en 1992, le taux d'inflation était bas (2 %), le taux d'intérêt était bas (8 %), mais la différence était très forte (6 %).

5- Quel est votre point mort? C'est un point dans votre chiffre d'affaires où vous ne faites pas d'argent et vous n'en perdez pas non plus! Vous avez des frais fixes comme le loyer, les taxes, qui n'augmentent pas ni ne diminuent selon votre chiffre d'affaires, et vous avez des frais variables comme le prix coûtant de tout ce que vous achetez pour chaque produit que vous vendez. Si, par exemple, vous vendez des souliers, plus vous vendez de souliers, plus vos frais variables augmentent, mais par contre, votre loyer demeure probablement le même. Vous commencez à faire un profit quand votre chiffre d'affaires continue d'augmenter. Quel est votre point mort? À quel moment commencez-vous à faire de l'argent dans la semaine ou dans le mois? C'est important de prendre le temps de le calculer.

6- L'inventaire. Il se peut que, pendant un mois, votre inventaire augmente car la saison des ventes approche et vous êtes appelé à vendre beaucoup; d'autre part, vous pouvez, par ricochet, manquer de liquidités, faute de faire les ventes escomptées. Vous vous demandez où est allé votre argent? L'argent est sur vos tablettes! C'est important de surveiller votre inventaire et de voir à quel moment vous devriez offrir des soldes ou faire une vente au rabais pour renflouer votre compte en banque. De très grandes entreprises ont manqué de liquidités et ont dû fermer leurs portes car les stocks ne bougeaient pas sur les étagères. Alors, un bon conseil, soyez donc prudent.

7- Faites grandir votre entreprise. C'est curieux à dire, mais beaucoup d'entreprises font faillite parce qu'elles sont trop florissantes. C'est pourtant là une réalité à laquelle il faut réfléchir: pour qu'une entreprise puisse croître, elle doit posséder un certain capital, l'actif doit dépasser le passif afin d'absorber toutes les fluctuations du chiffre d'affaires, des dépenses imprévues ou d'un investissement dont la rentabilité n'est pas assurée. Une entreprise développe sa capacité de grandir si elle conserve une grande partie des profits. C'est là une preuve de stabilité pour l'entreprise et une preuve de sagesse pour les propriétaires. C'est en même temps une sécurité pour le personnel de constater que tout ne s'en va pas en dépenses d'entreprise ou en dépenses personnelles pour les propriétaires.

8- Analysez l'augmentation des ventes. Souvent, une toute petite augmentation des ventes peut apporter une grande augmentation des profits. En effet, une entreprise n'est pas en affaires seulement pour faire des ventes, mais encore et surtout pour faire des profits. Car si elle ne fait pas de profit, elle devra fermer ses portes et les employés perdront inévitablement leur emploi. Ainsi, par exemple, une augmentation du chiffre d'affaires de 5% pourrait produire une augmentation du profit de 25%. Et si un employé démontre à ses patrons qu'il peut économiser 100$, c'est comme si l'entreprise avait investi 1 000$ à 10%.

9- C'est important de penser à la retraite. Quels que soient votre âge, votre occupation ou votre scolarité, quel que soit votre emploi, que vous soyez à votre compte ou dans une entreprise comme «intrapreneur», vous devez planifier votre retraite avec logique et créativité, avec confiance et prudence. Vous devez évaluer comment vous épargnerez pour prendre soin de votre avenir. Supposons que vous ayez 5 000$ d'épargne, que vous prévoyiez épargner aussi 50$ par semaine, c'est-à-dire 2500$ par année, pour les prochains 20 ans, et que vous l'investissiez à un taux d'intérêt moyen de 9% par année, vous accumulerez 155 000$ au bout de 20 ans.

10- Pensez à l'inflation. Il a été démontré que, depuis 50 ans, l'inflation est toujours présente dans nos vies. Elle peut être plus grande ou plus petite, mais le nombre d'années d'inflation depuis 100 ans est beaucoup plus considérable que le nombre d'années de déflation. Supposons que le taux d'inflation pour les prochains 20 ans soit de 3%, le 155 000$ que vous aurez accumulé dans 20 ans vaudrait aujourd'hui seulement 86 000$. C'est donc important de penser à ces détails pour planifier votre futur.

Bref, comme vous le savez, l'argent n'est pas tout ce qui importe dans la vie. L'argent n'est pas le but final mais c'est un moyen qui nous permet d'aller plus loin, plus haut, plus vite, et de nous fixer des objectifs d'une plus grande valeur comme la santé, le bonheur, l'instruction, les sciences, les arts et la spiritualité.

Questionnaire

1- Saviez-vous que l'intérêt, c'est le loyer de l'argent?

2- Que faites-vous pour que votre entreprise soit toujours en haut du point mort?

3- Que pensez-vous du principe qui dit qu'on devrait emprunter seulement pour acheter des biens qu'on peut revendre pour annuler la dette?

4- Réalisez-vous que la ligne du bas de votre bilan «Profit» est plus importante que la ligne du haut, soit celle du «Chiffre d'affaires»?

5- Pourquoi?

6- Si vous vendez beaucoup à perte, est-ce mieux que vendre moins à profit?

7- Est-il vrai que «petit plein» est mieux que «grand vide»?

Cherchez-vous du capital?

De même qu'il est dangereux d'emprunter pour consommer, il peut être essentiel de dénicher du capital pour produire.

Quand vous avez une idée et que vous croyez vraiment en votre projet, vous devez rechercher des investisseurs. Voici quelques idées:

1- Étudiez votre réseau personnel. Rencontrez des gens, parlez-leur de votre projet, demandez-leur de vous faire entrer en contact avec des personnes qui aimeront votre projet et avec lesquelles vous vous entendrez bien.

2- Personnalisez votre demande en ajoutant à votre plan d'affaires une lettre personnelle de nature à intéresser votre investisseur potentiel. Cet investisseur potentiel doit sentir que vous êtes intéressé à son support, à ses idées, à sa présence et pas seulement à son argent; c'est de la plus haute importance.

3- Mettez l'accent sur la créativité de votre projet, sur la nouveauté de votre idée. Dans votre lettre personnalisée, insistez sur les mots «invention», «créativité», «innovation», «nouveauté». Faites sincèrement sentir à l'investisseur potentiel que vous lui donnez l'occasion, la chance et le privilège de participer avec vous à la réalisation d'un projet valable.

4- Démontrez votre compétence, votre intégrité et votre souci de l'excellence. Parlez de toute votre expérience, donnez des références, montrez que vous connaissez le marché, la concurrence, les opportunités et les dangers.

5- Il se peut que vous ayez la chance de convaincre plus d'un investisseur à la fois. Cela vous permettra d'agrandir votre bagage d'expérience et de faire concourir plusieurs idées émanant de cerveaux différents du vôtre.

6- Prenez soin de bien vendre l'entrevue – c'est-à-dire ne dévoilez pas vos projets par téléphone ni par le courrier. Cherchez à rencontrer absolument la personne de visu pour lui parler en tête à tête, la regardant dans les yeux et pour lui démontrer votre sincérité.

7- Préparez-vous à donner quelque chose pour obtenir quelque chose. C'est l'essentiel de la négociation. Les investisseurs ne veulent pas contrôler votre entreprise comme ils ne souhaitent pas y rester trop longtemps. Cependant, ils exigent que vous ayez des valeurs nettes et non pas seulement des dettes. Ils ne tiennent pas à vous soutenir plus de 5 ou 6 ans dans votre entreprise. Ils veulent doubler leur argent en 3 ou 4 ans, et ils veulent avoir un mot à dire dans le cheminement de votre entreprise. Ils insisteront probablement d'ailleurs pour obtenir un contrat d'associés et, chose certaine, ils demanderont sans aucun doute d'étudier des états financiers mensuels pour contrôler les salaires et les dépenses d'opération.

Là comme ailleurs, la persistance est de rigueur. Et même si un investisseur potentiel vous refuse, il peut quand même vous référer à d'autres personnes de son entourage qui pourraient être intéressées. Montrez que vous êtes déterminé, résolu, tenace, stable, car un détenteur de capitaux recherche la sécurité avant le rendement.

Bonne chasse!

Questionnaire

1- Comment réagiriez-vous si vous étiez un investisseur recherché?

2- Quand vous cherchez du capital pour produire, vous ne mendiez pas, vous offrez une occasion d'affaires. Est-ce vrai?

3- Avez-vous établi votre plan d'affaires?

Souciez-vous encore plus du service à la clientèle

Vous comme moi, nous oublions parfois que la raison d'être de notre entreprise, c'est de rendre service à nos clients. Et une rumeur dit qu'un client satisfait en parle à deux clients potentiels, alors qu'un client insatisfait en parle à dix personnes. Lorsqu'un client parle à quelqu'un dans une entreprise, c'est comme s'il parlait à l'entreprise, et la façon avec laquelle il est traité lui donne tout de suite une opinion de cette entreprise. Voici quelques idées:

1- En tout temps, même au téléphone, ayez une attitude ouverte et pratiquez l'écoute active en posant des questions et en écoutant les réponses.

2- Surveillez votre non-verbal, même quand vous êtes au téléphone.

3- Sachez poser des questions afin d'obtenir de l'information de vos clients, pour découvrir leurs problèmes et pour pouvoir les régler.

4- Quand vous parlez à un client insatisfait, laissez-le s'exprimer afin de l'amener à relaxer pour qu'il puisse dire comment il aimerait que l'entreprise puisse régler son problème.

5- En tout temps, sachez demeurer au niveau des idées, pour ainsi mieux maîtriser vos émotions. Posez des questions et écoutez les réponses de façon à bien découvrir ce que le client désire vraiment.

6- Soyez capable de montrer que votre client est important pour vous et pour votre entreprise. Utilisez des phrases comme «Je vous comprends», «Vous avez raison» ou encore «Quelle est votre suggestion»?

7- Sachez parler lentement, calmement et clairement. Écoutez avec patience et tolérance.

8- Ayez toujours des écrits devant vous pour être précis dans vos réponses: dates, prix, qualité, quantité.

9- Sachez annoncer les bonnes nouvelles avec fierté et les mauvaises nouvelles avec sincérité.

10- Quand c'est possible, sachez régler les problèmes pour le mieux vous-même, et ayez la sagesse de juger quand vous devez en informer vos supérieurs.

Vous faites partie d'une entreprise et vous pouvez apprendre à travailler avec moins de stress, à servir plus de clients en moins de temps. Vous protégez ainsi votre emploi, vous aidez votre entreprise à surpasser les concurrents, et petit à petit, pas à pas, vous apprenez des techniques qui vous serviront tout au long de votre carrière.

Questionnaire

1- Est-ce que la clientèle vous dérange?

2- Avez-vous déjà passé une journée à penser que vous êtes le client des autres? et que les autres sont vos clients?

3- Pouvez-vous joindre qualité et quantité?

4- Saviez-vous que nous sommes les clients des fonctionnaires?

Êtes-vous «clientélisé»?

Voilà un néologisme qui ne sera peut-être jamais dans le dictionnaire, sauf dans un lexique, en fait, un petit dictionnaire créé par et pour un auteur.

Une entreprise est «clientélisée» quand elle fait passer sa clientèle d'abord, car sans client, elle ne peut ni survivre ni grandir. Bien sûr, il arrive parfois que la clientèle augmente subitement; les clients sont alors tellement nombreux et la production est tellement urgente que des membres du personnel peuvent sentir que des clients dérangent le bon fonctionnement de la gestion. Cependant, sans client, pas de gestion. Voilà pourquoi c'est important de transmettre des renseignements aux clients et d'en recevoir de leur part.

De plus, tous les membres d'une entreprise, petite, moyenne ou grande, devraient se considérer comme des clients les uns des autres. En effet, quel que soit notre rôle dans une entreprise, si nous voulons travailler avec rigueur et respect, avec le souci de la qualité et de la quantité, c'est important que chacun considère les autres comme des clients, et vice versa. Voici d'ailleurs quelques idées:

1- Une entreprise qui veut grandir n'a jamais trop de clients; la concurrence est de plus en plus féroce; les clients ont un grand choix de qualité, prix et service. C'est donc important, pour renforcer une entreprise, de toujours cultiver la capacité de maintenir une bonne relation avec les clients.

2- Chaque membre de l'équipe doit continuellement penser à accroître le service de chaque démarche effectuée auprès du client, que ce soit la publicité avant la vente ou le service après-vente, et chacun des contacts de chaque membre du personnel avec le client. C'est important de penser que le client peut découvrir de nouveaux produits que vous offrez, et dont il n'est pas au courant. Soyez à l'écoute de votre client pour découvrir ses besoins actuels et éventuels, car sa façon de réagir vous parle. La nature veut que les être vivants qui survivent le mieux sont ceux qui réagissent le plus rapidement, avec un instinct toujours en alerte pour bien saisir les dangers et les opportunités que l'environnement présente chaque instant.

3- Chaque client interne ou externe doit sentir que les autres sont là pour lui offrir des services avec rigueur et respect, avec le souci de la qualité et de la quantité. Le but de la vie, ce n'est pas d'empêcher les autres de nous déranger, c'est de pouvoir créer un climat de coopération, au point où nous pouvons dire que chacun nous «arrange» pour le mieux. Tout ce qui arrive à un client est causé par l'entreprise, que ce soit un document, un geste, une parole, une attitude, un comportement. Des clients donnent parfois l'impression, d'après leurs réactions, qu'ils sont persuadés que ce qui importe pour l'entreprise, c'est l'argent; comme si le service dérangeait. Et même les entreprises publiques, comme les commissions scolaires, les municipalités, les provinces ou les pays, ont avantage à considérer que les citoyens sont des clients qui acceptent de payer des taxes et des impôts, mais qui s'attendent en retour de recevoir des services des plus efficaces et des plus productifs possible pour toute la société.

Ajoutons, pour conclure, que nous devons chercher à fidéliser nos clients, c'est-à-dire les rendre loyaux à l'entreprise, tellement contents des services et des produits reçus qu'ils ne pensent pas à aller ailleurs.

Un bon entrepreneur doit donc être «clientélisé» et ses clients doivent être «fidélisés» (vous retrouverez ce terme au dictionnaire). Voilà donc deux mots à ajouter à votre vocabulaire.

Questionnaire

1- Pouvez-vous définir dans vos mots le verbe «clientéliser»?

2- Pouvez-vous donner votre propre définition à «fidéliser»?

3- Les clients sont-ils la raison d'être d'une entreprise?

4- Les citoyens sont-ils la raison d'être d'un gouvernement?

Vendre dès la première visite

La plupart des ventes sont réussies lors du premier essai. Beaucoup de temps précieux est perdu lors d'une deuxième ou d'une troisième tentative. La raison la plus fréquemment employée par le client potentiel est celle-ci: «Je veux y penser».

Cependant, la plupart des clients potentiels ont besoin de quelqu'un pour les aider à prendre une décision. Aussi, pour vous éviter de perdre le moins de temps possible, voici quelques suggestions:

1- Vérifiez si la personne rencontrée possède toute l'autorité requise pour prendre la décision d'acheter.

2- Commencez toujours en étant entièrement confiant de réussir à clore la vente.

3- Déterminez rapidement ce que désire le client potentiel, et surtout, ce dont il a besoin.

4- Créez rapidement un climat de confiance entre le client potentiel et vous, entre l'entreprise que vous représentez et ce client potentiel.

5- Ne vous contentez pas de décrire votre produit ou votre service, montrez surtout à votre client potentiel les avantages qu'il en retirera.

6- Demandez régulièrement à votre client potentiel s'il est d'accord avec ce que vous dites.

7- Chaque fois qu'il semble d'accord, par un mot ou par un geste, sollicitez sa commande.

8- S'il n'est pas convaincu d'un point, faites immédiatement un effort supplémentaire pour compléter vos explications, et ensuite demandez-lui de passer la commande.

9- Faites régulièrement un résumé de votre exposé en escomptant recevoir son assentiment, et ensuite demandez de passer la commande.

10- S'il vous répond encore non ou trouve une excuse, demandez-lui pourquoi.

11- Pour chacune de ses objections, vous devez être assez bien préparé pour donner la réponse appropriée, et ensuite demandez de passer la commande.

12- S'il dit encore une fois qu'il veut y penser, demandez-lui à quoi il veut bien réfléchir.

13- S'il vous dit de revenir, demandez-lui pourquoi et surtout demandez-lui pourquoi vous devriez perdre son temps et le vôtre à recommencer l'explication, et là encore, demandez de passer la commande.

Questionnaire

1- Voulez-vous vendre?

2- Pouvez-vous demander au client de passer la commande une fois?

3- Pouvez-vous demander de passer la commande deux fois?

4- Pouvez-vous demander de passer la commande trois fois?

5- Quand vous êtes venu au monde, vouliez-vous vivre?

Demandez au client de passer la commande

Quel est le meilleur moment pour demander de passer la commande? Voilà la question que se posent la plupart de ceux qui gagnent leur vie dans ce merveilleux métier qu'est la vente. Ce moment, c'est quand l'acheteur éventuel semble avoir allumer un feu vert indiquant que vous l'avez convaincu et que vous devriez sortir le carnet de commandes.

Ce signal peut arriver même avant le début de votre présentation. Le client potentiel est peut-être déjà décidé d'acheter. Ce signal peut survenir pendant votre présentation ou après vos réponses à une de ses objections. De temps à autre, arrêtez de parler et demandez de passer la commande. C'est surprenant de constater à quel point plusieurs ont peur de demander de passer la commande. L'une des raisons primordiales, c'est qu'ils ont peur d'être rejetés et préfèrent revenir une autre fois pour vérifier si le client est prêt à acheter. Mais trop souvent, quand le professionnel de la vente revient à la charge, le client potentiel a quelque peu perdu de l'intérêt, est plus neutre, ne pense plus à acheter, il a acheté autre chose, ou il a acheté d'un concurrent.

Alors, demandez-lui de passer la commande si c'est ce que vous voulez ultimement. Autrement, vous perdez du temps à parler et à visiter des clients potentiels. Tirez la conclusion et demandez au client de passer la commande. Le pire qui puisse vous arriver, c'est de vous faire dire non, et même dans ce cas-là, vous recommencez.

Si vous obtenez un non, voici une idée: ayez en réserve un stratagème qui vous permettra de garder la porte ouverte, car si vous ne pouvez pas conclure la vente, ne fermez pas la porte pour autant. Par exemple, vous pouvez laisser un client satisfait parler à un client potentiel sceptique. Pour ce faire, vous devez garder un très bon contact avec tous vos clients, soit par le courrier, par le téléphone ou par des visites.

Un autre moyen, c'est de demander à votre client potentiel de vous aider. Admettez franchement que vous n'avez pas réussi votre présentation et demandez-lui de vous dire où vous avez échoué et ce qui manque à votre message pour le convaincre. Demandez-lui la permission de lui laisser, à un autre moment, un dépliant ou une brochure qui pourrait compléter votre démonstration et lui apporter des idées nouvelles.

La vente est comme un sport, vous pouvez perdre une partie mais vous pouvez quand même vous rendre en finale.

Une entreprise, c'est le projet d'une personne. L'ensemble des projets personnels contribue au développement de la société. Quand commencez-vous du neuf?

Questionnaire

1- Connaissez-vous le livre: *La vente commence quand le client dit «NON»*?

2- Quand un enfant veut quelque chose, il le demande combien de fois?

3- Quelle est la meilleure des deux questions: «Va-t-on au restaurant?» ou «Va-t-on à tel restaurant ou tel restaurant?»

Le marché devient cosmopolite

Nous vivons de plus en plus dans un monde international. Le marché est mondial et presque toutes les villes deviennent cosmopolites. Nous ne savons pas quand nous rencontrerons quelqu'un d'une autre nationalité, ou encore quelqu'un de même nationalité dont le conjoint est une personne d'une autre nationalité. C'est donc important de chercher à tenir compte de l'étiquette internationale. Plusieurs bons volumes sont écrits sur la question.

Voici quelques points à observer:

1- Dans plusieurs pays, le signe «V» – représenté par deux doigts de la main brandis en forme de V – est considéré comme obscène; même si, d'autre part, il signifie pour d'autres cultures, le signe de la victoire.

2- Dans certains pays, le signe «O.K.», qui est fait avec le pouce et l'index formant un cercle et les trois autres doigts pointés vers le haut, est insultant.

3- Plusieurs musulmans considèrent le vendredi comme un jour de repos.

4- La plupart des Chinois apprécient que nous penchions légèrement la tête pour les saluer.

5- En Inde, la vache est un animal sacré, donc il ne faut pas inviter ces concitoyens à manger un steak ou un hamburger.

6- Les couleurs ne veulent pas dire la même chose dans tous les pays. En Amérique latine, le pourpre est un signe de deuil, et au Japon, le blanc est porté lors de funérailles.

7- Plusieurs arabes sont insultés qu'on leur offre des boissons alcoolisées, ce qui leur est défendu par la religion islamique.

8- Pour plusieurs Japonais, le chiffre 4 est à dédaigner.

9- Pour beaucoup de gens de différents pays, le temps ce n'est pas de l'argent, c'est une qualité de vie.

10- Pour faire face à la diversité culturelle, vous pouvez avoir des cartes professionnelles rédigées dans votre langue au recto et traduites dans une autre langue au verso.

11- Observez le signe de tête pour «oui»: dans certains pays, lorsque la réponse est oui, ça veut dire que la personne a compris la question. Ça ne signifie pas nécessairement qu'elle répond «oui» à la question. Dans d'autres pays, un signe de tête négatif signifie «oui».

12- Mais cependant, dans toutes les langues du monde, le sourire a une valeur universelle.

Conclusion: nous sommes de plus en plus citoyens du monde! Et c'est bon pour la psychologie!

Questionnaire

1- Comment l'univers serait-il sans frontières?

2- Vos affaires iraient-elles mieux si vous connaissiez toutes les mœurs et les coutumes?

3- La culture peut-elle être à la fois bonne en soi et bonne pour les affaires?

4- Acceptez-vous l'idée que toutes les différences ethniques sont des signes et des sources de la richesse humaine de notre civilisation?

Les tendances des dix prochaines années

De plus en plus de gens se spécialisent dans la futurologie. En observant les différents groupes de la société, les médias d'information et toutes les catégories d'artistes qui, par intuition, expriment une possibilité d'avenir; les gens d'affaires peuvent s'arrêter et se demander ce qui pourrait affecter ou toucher leur entreprise afin de s'adapter facilement et rapidement.

Voici les dix principales tendances annoncées par plusieurs experts

1- La population vieillit rapidement, plusieurs personnes sont retraitées, jouissant de temps libre et désireuses de prendre soin de leur santé pour accroître leur longévité.

2- L'environnement devient une préoccupation constante. De plus en plus de gens sont sensibilisés par l'importance de la pollution et du danger que nous courons tous. L'air, l'eau, le sol sont de plus en plus pollués et néfastes. Ce sont donc là des besoins et un marché que des visionnaires se doivent d'approfondir.

3- De plus en plus de couples travaillent et rapportent un double revenu à la maison. Ils manqueront bientôt de temps et, même s'ils gagnent plus d'argent, ils en dépenseront davantage. Ils ont besoin d'outils à la maison pour se procurer le confort voulu dans un laps de temps plus court.

4- De plus en plus de personnes aiment l'aventure, les fantaisies, les sensations fortes, soit lors des voyages ou des excursions.

5- Les familles se créent selon de nouvelles structures et de nouveaux modes de vie et, de plus en plus de nos concitoyens observent et acceptent sans juger la création de petits groupes de gens vivant ensemble hors des sentiers battus.

6- De plus en plus de gens aiment se procurer des petits luxes abordables pour agrémenter leur vie quotidienne.

7- Beaucoup de personnes reviennent aux valeurs traditionnelles et choisissent de vivre une vie plus stable avec un sens d'éthique tout à fait révisé.

8- Beaucoup de personnes seules, en couple ou en groupe vivent leur existence comme dans un cocon, en organisant leur vie pour sortir le moins possible de leur résidence et se donner le pouvoir de satisfaire leurs besoins avec autonomie.

9- Les clients exigent de plus en plus un service personnalisé sur mesure, selon leurs goûts.

10- De plus en plus de gens développent l'esprit d'entrepreneurship pour être à leur compte, ou l'esprit d'«intrapreneurship» pour grandir davantage à l'intérieur d'une entreprise, en manifestant leur sens d'initiative et des responsabilités.

Le passé nous a amené au présent, et tout ce qui suurvient dans le moment présent est un indice de ce que sera le futur. Si vous êtes en affaires, vous vous devez de développer votre propre futurologie pour deviner d'avance ce qui peut arriver, de façon à éviter les problèmes et à multiplier vos projets, pour que, d'une part vous soyez de plus en plus satisfait de vous-même et, d'autre part, satisfait aussi de rendre service à la société.

Questionnaire

1- Pouvez-vous suggérer au moins une idée d'entreprise à créer pour les points 1 et 2?

2- Quels produits pourriez-vous inventer pour les points 3 et 4?

3- Pouvez-vous innover en pensant aux points 5 et 6?

4- Quelles idées nouvelles vous viennent à l'esprit en relisant les points 7, 8, 9 et 10?

Conclusion

Le bourdon ne peut pas voler!

Un jour, voilà déjà une quarantaine d'années, alors que les ordinateurs n'étaient pas encore vraiment au point, des savants américains ont voulu calculer par expérience comment rendre aérodynamiques certains modèles d'avions. Ils ont placé dans un couloir d'aération un certain nombre de bourdons et ont observé leur comportement. Ils en sont venus à la conclusion que le bourdon ne peut pas voler car le poids, la forme et la longueur de son corps ne sont pas proportionnels à la surface totale de ses ailes. En conséquence, aux points de vue scientifique, aérodynamique et mathématique, le bourdon ne peut pas voler; cependant, il ne sait pas que tout l'en empêche, alors il s'élance et s'envole.

Qui doit commencer à accélérer pour que le changement social progresse, que l'éducation des adultes soit de plus en plus efficace, que chaque citoyen se donne une éducation à l'excellence, à la compétence, et qu'ainsi l'entrepreneurship soit revalorisé?

L'histoire des sociétés est davantage et surtout la résultante des actions et des décisions de personnes influentes qui les composent.

Qui sont ces gens? Ce sont les élites – c'est-à-dire les personnes qui détiennent un pouvoir réel ou symbolique et qui, par la suite, influencent l'évolution d'une collectivité par leurs pensées, leurs paroles, leurs écrits et leurs actions, individuellement ou en groupe.

Pour les fins de ce travail, nous distinguerons treize classes d'élite:

1- Les chefs d'entreprise, le personnel cadre, les gens d'affaires, les financiers, les industriels et les commerçants. Par leur capacité de gérer les capitaux, de diriger les fonds, de refuser ou d'accepter des transactions, d'influencer rapidement le destin de plusieurs individus, entreprises et associations, ces personnes contribuent, par leur attitude et leur comportement, à créer ce climat d'entrepreneurship.

2- Les membres des professions traditionnelles et nouvelles: les médecins, les avocats, les notaires, les psychologues, les enseignants, les ingénieurs, les architectes, les comptables agréés, les administrateurs, les pharmaciens, les infirmières, et tous les membres des quelque cinquante professions déjà reconnues, ou en voie de l'être. Ces personnes, par le service personnel qu'elles donnent à leur clientèle, peuvent semer chez beaucoup l'idée de la compétence et de l'excellence.

3- Les partenaires des médias d'information: les journalistes, les animateurs, les éditorialistes, les commentateurs, les intervieweurs. Voilà d'autres personnes qui, régulièrement, tantôt par le biais de la logique, tantôt par le biais des émotions, peuvent influencer sensiblement l'opinion de dizaines de milliers de citoyens en exprimant ou suggérant des besoins, des inquiétudes, des revendications, des espoirs, des objectifs, des précisions, par des mots, des signes, des attitudes et des comportements.

4- Les chefs politiques qui, non seulement par la législation mais encore par la façon de l'administrer, peuvent contribuer à créer le climat de liberté nécessaire à la personne, et le poids de l'autorité nécessaire à la société.

5- Les chefs syndicaux qui, tout en protégeant les droits des travailleurs, peuvent continuer à multiplier les fonds de solidarité.

6- Les comédiens, les chansonniers, les écrivains, les auteurs, les interprètes, les compositeurs, les romanciers, les historiens, les metteurs en scène, les réalisateurs, qui véhiculent des valeurs exemplaires pour plusieurs secteurs de la population et qui, pour la plupart, sont des entrepreneurs capables de marquer l'imaginaire.

7- Les experts, les spécialistes, les chercheurs, les technocrates – dont les connaissances, les aptitudes, les découvertes sont mises au service de la collectivité – et qui impressionnent par leur logique, leur objectivité, leur sang-froid, pouvant ainsi convaincre des gestionnaires de devenir entrepreneurs, et vice versa.

8- Les élites naturelles, ces personnes qui, par certains dons innés, peuvent encourager nos concitoyens, consciemment ou inconsciemment, à travailler à la création et à la croissance d'entreprises.

9- Les membres du clergé de toutes les religions ainsi que les hommes et les femmes qui s'y dévouent. En tout temps, et dans tous les pays, une fraction importante de la population accepte avec confiance l'opinion de son clergé.

10- Les fonctionnaires qui ont d'une part, le devoir d'administrer les lois et règlements et d'autre part, la responsabilité non seulement de ne pas brimer l'esprit d'initiative, mais surtout de favoriser le développement du potentiel humain de tous leurs concitoyens, dans le but de créer une société éducative où chacun peut choisir de grandir pour mieux servir.

11- Les parents qui souhaitent que leurs enfants découvrent leurs motivations profondes en vue de devenir autonomes et solidaires.

12- Les enseignants, les professeurs, les chargés de cours, les instituteurs, les formateurs, les éducateurs qui, en plus de transmettre des connaissances, peuvent éveiller le désir d'apprendre, d'apprendre à apprendre, et d'entreprendre.

13- Les dirigeants d'associations et les membres de leurs comités qui, dans leurs réunions, leurs bulletins d'information et leurs comités de presse, peuvent semer des pensées de progrès, d'avancement, de recherche et de développement.

Toutes ces personnes peuvent apporter leur contribution personnelle à la création d'un climat social chaleureux, réceptif, confiant, enthousiaste, créateur et optimiste. Chacune peut faire l'impossible pour comprendre l'importance et le mécanisme de la motivation à la compétence et à l'excellence, qu'il faut répandre de toute urgence.

Lecteurs, mon frère, ma sœur, levez-vous et faites quelque chose, chacun dans votre coin, pour que toutes les élites influencent les citoyens du monde à devenir des entrepreneurs! Commencez, vous, ici, maintenant!

1- Souvenez-vous toujours que, dans la vente, même si c'est important de connaître le produit, c'est encore plus important de connaître la psychologie des gens et d'entretenir de bonnes relations humaines. En résumé, il faut aimer le monde et la raison première pour laquelle on trouve des professionnels de la vente, c'est pour aider les gens à régler leurs problèmes.

2- Pensez à long terme car, à court terme, il y aura toujours des cycles économiques, des hauts et des bas. Mais, quelle que soit la conjoncture à long terme, des personnes seront toujours là pour acheter.

3- Écoutez votre petite voix intérieure. Écoutez votre conscience et soyez honnête, soyez intègre.

4- Oubliez la commission. Oubliez les honoraires. Pensez service. Pensez solutions aux problèmes du client.

5- Développez un réseau de contacts – c'est-à-dire un groupe de personnes à qui vous rendez service et qui peuvent aussi vous rendre service.

6- Maintenez votre enthousiasme. Beau temps, mauvais temps, soyez heureux! Triomphez de vos soucis. Vivez l'instant présent. Faites-vous connaître. Rendez les autres heureux!

7- Soyez réaliste: ce qui existe, existe! Ce qui n'existe pas, n'existe pas!

8- Soyez toujours conscient que la chance sourit aux audacieux et que la loi de la moyenne favorisera toujours la personne qui fait beaucoup de prospection, qui frappe à beaucoup de portes, qui effectue beaucoup d'appels téléphoniques, tout en s'occupant de son marketing personnel.

9- Respectez vos priorités. N'oubliez jamais que votre temps, votre argent, votre santé sont importants. Que votre vie de famille, votre vie affective et émotive sont précieuses. C'est à vous d'établir cette liste des priorités. Par exemple, supposons que vous ayez une chandelle allumée; la chandelle, la cire et la mèche, pour moi, c'est la base, c'est-à-dire le temps, l'argent, la santé et la sécurité. Tandis que la flamme, ce sont les valeurs intangibles, comme l'amour, l'amitié, l'affection, la tendresse, la joie intellectuelle d'apprendre, de s'instruire, de grandir, et la joie spirituelle de découvrir une vie intérieure riche, l'exploration d'un monde éternel et infini. Si l'on veut maintenir la chandelle allumée, il faut la cire et la mèche. Si nous nous préoccupons seulement de la cire et de la mèche, nous sommes des collectionneurs de bouts de chandelles. Si nous allumons seulement des flammes, nous sommes rêveurs. Si nous voulons être réalistes sur cette terre, il faut non seulement aviver des flammes, mais que ces flammes soient vraiment bien allumées «sur du solide». Quelles sont vos priorités? Prenez un crayon, une feuille de papier, et écrivez!

10- Et finalement, soyez fier d'être professionnel de la vente, c'est une profession. Vivez-la avec honnêteté, intégrité et enthousiasme. Soyez totalement présent à cette carrière, ce désir de rendre service, ce rôle social important que vous remplissez envers les familles, les commerces et les industries. C'est une religion: vous aidez les gens à devenir plus heureux. C'est une croisade: vous tenez à ce que cela se fasse rapidement, car la vie passe vite et les bonnes occasions ne reviennent pas. C'est une mission: vous voulez contribuer à la création des richesses individuelle, familiale et sociale.

It is not the size of the dog in the fight!
It is the size of the fight in the dog!

Bibliographie

Vous trouverez ci-après une liste partielle de volumes que je vous recommande particulièrement, que vous trouverez probablement dans les grandes bibliothèques et dans certaines librairies. Fixez-vous comme objectif de lire au moins un livre de motivation par saison. Vous trouverez aussi une liste spéciale de catalogues que vous pouvez obtenir.

En langue française:

AUER, J.T. – *Vous pouvez toujours être un meilleur vendeur,* Éditions internationales Alain Stanké Ltée.

BASILE, Joseph – *La formation culturelle des cadres et des dirigeants (cultiver sa pensée pour enrichir son action)* Marabout service, Éditions. Gérard & Co.

BETTGER, Frank – *Comment réussissent dans la vente un bon représentant, un bon vendeur* (Hachette).

BISCAYART, Michel – *Le marketing, nouvelle science de la vente (organiser, persuader, réussir),* Marabout service, Dunod, Paris.

BLAKE, Robert R. & MOUTON, Jane Srygley – *Les deux dimensions de la vente,* Les Éditions d'Organisation.

BLELUSTEIN-BLANCHET, Marcel – *La rage de convaincre,* Éditions Robert Laffont.

BOUCHARD, Jacques – *Les 36 cordes sensibles des Québécois (d'après leurs six racines vitales),* Éditions Héritage.

BOUSQUIE, G. – *Une technique: La Persuasion,* Éditions de l'Entreprise Moderne.

BUREAU INTERNATIONAL DU TRAVAIL – Genève – *Création d'un marché,* Bureau International du Travail.

CARNEGIE, Dale – *Comment se faire des amis pour réussir dans la vie,* Hachette.

CAVETT, Robert – *Obtenez des résultats positifs grâce à votre connaissance du comportement humain*, les éditions Un monde différent ltée.

CHAPUT, Jean-Marc et GAGNON, Paul Dominique – *De la vente à la représentation*, Gaétan Morin Éditeur.

CHAPUT, Jean-Marc – *Vivre, c'est vendre (pourquoi et comment vendre)*, Éditions de l'Homme.

DICHTER, Ernest – *La stratégie du désir (une philosophie de la vente)*, Librairie Arthème Fayard.

DRUCKER, Peter – *Les Entrepreneurs, l'Expansion*, Hachette 1985, Traduit de l'américain par Patrice Hoffmann, Titre original: *Innovation et Entrepreneurship*.

EVERT, U., – *La conduite rationnelle du personnel de la vente*, Éditions d'organisation.

FISHER, Roger – *Comment réussir une négociation*, Éditions du Seuil.

HANOT, Marc – *Réussir*, Éditions du Jour.

HOPKINS, Tom – *Vendre*.

JOHNSON et WILSON – *Bien vendre, la minute du succès* (Interéditions).

LABORDE, Génie – *Influence avec intégrité*.

LEBLANC, Gabrielle – *Psychosociologie de la vente*, Éditions Universitaires.

LETERMAN, E. – *La vente commence quand le client dit «non»*.

MANDINO, Og – *Le plus grand vendeur du monde*, Éditions Sélect ou en cassettes audio aux éditions Un monde différent.

MCLUHAN, Marshall – *Pour comprendre les médias (les prolongements technologiques de l'homme)*, Éditions HMH.

NIERENBERG, Gérard I. – *L'art de persuader*, Claude Tchou, éditeur.

OPPENHEIM, Francis – *L'école du profit*, Éditions du Seuil.

PASTY, André – *L'art d'être «commerçant»*, Éditions de l'Entreprise Moderne.

POINSOT, A.E. – *Organiser l'entreprise pour vendre plus (solutions aux problèmes des entreprises moyennes)*, Éditions de l'Entreprise Moderne.

QUOIST, Michel – *Réussir, Économie et Humanisme,* Éditions Ouvrières.

ROZES, Gilbert – *Téléphonez, vous vendrez plus,* Les Éditions Agence d'ARC Inc., Chotard et Asso. Éditeurs.

STANGL, Anton – *Art et technique de la vente (négocier, préparer, conclure, persuader),* Marabout service, Éditions Gérard & Co.

ZEEGERS, Robert et LIPPENS, Daniel – *Le représentant d'aujourd'hui,* Marabout service, Éditions Gérard & Co.

ZIGLAR, Zig – *La Vente selon Ziglar* ou *Les secrets pour conclure la vente,* les éditions Un monde différent ltée.

En langue anglaise:

ABEL, Richard – Own Your Own life.

BENDER, James F – How to Sell Well (the Art and Science of Professionnal Salesmanship), McGraw-Hill Book Co. Inc.

COVEY, Stephen – The 7 Habits of Highly Effective People.

DEMENTE, Boye – The Japanese Way of Doing Business (the Psychology of Management in Japan), Prentice-Hall, Inc.

FENTON, John – The A to Z of Sales Management, Amacom.

GOLDMANN, Heinz – How to Win Customers (New and Completely Revised), Hawthorn Books Inc.

HOPKINS, Tom – How to Master the Art of Selling, Edited by Warren Jamison, Warner Books.

MCCAY, James TACKBERRY – Beyong Motivation, Jeffrey Norton Publishers, Inc.

MILLER, Robert – Strategic Selling.

MILLER, Robert – Conceptual Selling.

MOLLOY, John T. – Dress for Success, Warner Books 1975, Publisher / Peter H. Wyden.

NEWMAN, Mildred – How to Take Charge of Your Life.

PEALE, Norman Vincent – Enthusiasm Makes the Difference.

REESE, Edward – Beyond Selling.

ROTH, Charles, The Art of Closing.

THOMSON, Andrew – The Feldman Method.

WHEELER, Elmer, Tested Salesmanship.

WHITING, Percy – The Five Great Rules of Selling.

WILSON, Larry – Changing the Game.

WOLFE, John – Sell like an Ace... Live like a King!, Prentice-Hall Inc.

Devenez entrepreneur, publié par les Presses de l'Université Laval sous la direction de Paul-A. Fortin. Ce livre contient beaucoup d'informations et beaucoup de sources de renseignements. Vous devriez le lire d'une couverture à l'autre le plus tôt possible.

Se lancer en affaires, publié par les Publications du Québec. Vous devriez le lire d'une couverture à l'autre.

Demandez le catalogue de la Fondation de l'entrepreneurship, 160, 76e rue est, bureau 250, Charlesbourg (Québec) G1H 7H6. (418) 646-1994.

Demandez le catalogue des éditions Un monde différent ltée, 3925, boul. Grande-Allée, Saint-Hubert (Québec) J4T 2V8. (514) 656-2660.

Demandez le catalogue de la Coop H.E.C., 3000 Côte Ste-Catherine, local RC111, Montréal (Québec) H3T 2A7. (514) 340-6400.

Demandez le catalogue de Gaétan Morin Éditeur, 175 boul. de Mortagne, Boucherville (Québec) J4B 6G4. (514) 449-2369.

Demandez le catalogue des Publications Transcontinentales, division des livres, Éditions Logique, 1253 de Condé, Montréal (Québec) H3K 2E4. (514) 933-2225.

Demandez le catalogue de l'Agence d'ARC Inc., 955 Bergar, Laval (Québec) H7L 4Z6. (514) 334-8466.

Demandez le catalogue des Éditions d'Organisation, 26 avenue Émile Zola, 75015 Paris, France.

L'anatomie d'un diplômé du collège Jean-Guy Leboeuf

Le cerveau gauche lui permettra de faire preuve de logique, de mémoire, de raisonnement et de réalisme.

Le cerveau droit lui permettra de prouver sa créativité, son intuition et son sens de l'innovation et d'invention.

Ses yeux lui permettront de décoder le non-verbal et de regarder chaque situation du point de vue des clients, qui sont ses partenaires et deviendront ses amis.

Ses oreilles lui permettront d'écouter pour bien comprendre les besoins et les moyens de ses clients.

Sa bouche lui permettra de s'exprimer avec confiance en utilisant le bon mot au bon moment avec humour et enthousiasme.

Son coeur lui permettra de prouver sa sincérité, son empathie et son intégrité.

Ses jambes lui permettront de se tenir debout devant la concurrence, et de faire preuve de dignité et de professionnalisme.

Son porte-documents lui permettra de bien préparer sa planification stratégique avant de rencontrer ses clients.

Ses pieds lui permettront de se déplacer rapidement en s'adaptant aux circonstances, et de se convaincre que chaque victoire devra être méritée avec persévérance et ténacité.

Venez chez nous : en plus du savoir, vous y acquerrez du savoir-faire et du savoir-être.

Il faut des professionnels pour former des professionnels!

Seul Jean-Guy Leboeuf vous donne autant, si rapidement, pour si longtemps!

Lisez les livres de Jean-Guy Leboeuf publiés aux éditions Un monde différent:

- Arrêtez d'avoir peur et croyez au succès!
- Grains de sagesse
- Prends ton passé, vis ton présent, crée ton futur
- Pensez clairement, faites plus d'argent
- L'immobilier: un choix professionnel
- Je choisis ma vie
- ...et si chacun créait son emploi?
- Roman autobiographique à paraître: L'Écureuil apprivoisé

Écoutez la cassette audio: «Arrêtez d'avoir peur et croyez au succès!»

Suivez les Séminaires de Vente Professionnelle S.V.P. offerts au Collège Jean-Guy Leboeuf.

Regardez la série d'émissions «ARC Atelier de réorientation de carrière» diffusées sur Canal TéléEnseignement et Télé-Québec: procurez-vous la série complète sur cassettes vidéo.

Si vous voulez de plus amples renseignements sur Monsieur Jean-Guy Leboeuf et son collège, communiquez au:

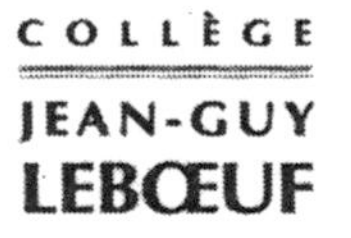

Collège Jean-Guy Leboeuf
5277, avenue du Parc
Montréal (Québec) H2V 4G9
Téléphone: (514) 277-2117
Extérieur: 1-800-361-9972
Télécopieur: (514) 276-1118
Courrier électronique: info@cedep.net

CHEZ LE MÊME ÉDITEUR

Dans la même collection:

Les paradigmes, Joel Arthur Barker
Communiquer: Un art qui s'apprend, Lise Langevin Hogue
Le pouvoir de vendre, José Silva et Ed Bernd Jr.
La vente: Une excellente façon de s'enrichir, Joe Gandolfo
La vente: Étape par étape, Frank Bettger
Performance maximum, Zig Ziglar
Mes valeurs, mon temps, ma vie!, Hyrum W. Smith
Vivre au cœur de la tornade, Diane Desaulniers et Esther Matte
Secrets de la vente professionnelle, Jean-Guy Leboeuf